ТАТЬЯНА КЛИМЕНКО

Меню
на каждый день
Великого поста

Издательство
Московской Патриархии
Русской Православной Церкви
Москва • 2020

УДК 244
ББК 86372
К49

Допущено к распространению
Издательским советом
Русской Православной Церкви
ИС Р19-914-0539

Клименко Татьяна

К49   Меню на каждый день Великого поста. — М. : Издательство Московской Патриархии Русской Православной Церкви, 2020. — 208 с.

Чем укреплять свое тело во время Великого поста? У многих возникают опасения, что запрет на вкушение животной пищи сделает их рацион слишком однообразным. Некоторых пугает мысль, что растительная пища не даст им столько сил, сколько необходимо для исполнения ежедневной работы. Порой и в семье кто-то пришел к Богу, а кто-то церковной жизни и ее правил не понимает и не принимает. Однако в наших силах сделать постный стол таким, что домашние не будут чувствовать голода и дискомфорта. В настоящей книге предлагается подробное меню на каждый день Великого поста, которое поможет хозяйкам быстро приготовить вкусные и сытные блюда. Время же, необходимое для поисков постных рецептов, останется для молитвы.

ISBN 978-588017-824-7

Пост — не изнурение, а лишение себя того, что нас разрушает

Слишком часто мы воспринимаем пост как период скорби, как период безрадостного погружения в себя самих. Пост как будто нас лишает чего-то, о чем мы можем мечтать. Но пост — это весна духовная. Об этом мы можем прочесть и в богослужебных книгах, когда нам указывается на то, что во время поста мы душою должны ожить, что это — начало, что это — не конец и не погружение вглубь греха, а время, когда мы начинаем новую жизнь.

А если это весна, то это должно быть время большой радости. А откуда взять радость, когда мы призваны к тому, чтобы внимание, и много внимания, уделить своему прошлому и настоящему, которые не всегда, конечно, вызывают в нас радость?

Но это время, когда Господь нам говорит: «Ты разве забыл, как глубоко, как всецело Я тебя лично еще до твоего рождения возлюбил, что Я тебя призвал жить, что Я тебя призвал войти в этот мир, который Я сотворил, и что Я тебя так возлюбил, что жизнь Свою отдал, чтоб ты мог поверить в эту Мою любовь» (ср.: Быт. 1: 26; Мф. 5: 45; Ин. 3: 16).

Христос за каждого из нас умер на Кресте. И смерть Христова на Кресте — мера Его любви к нам.

Мы сами понимаем, и если не из опыта, то из каких-то переживаний, что отдать свою жизнь за другого человека — это действительно доказательство того, что мы его любим, любим больше своей жизни. И так нас возлюбил Господь. Нам может стать страшно за себя, потому что каждый из нас, по мере того как он грешит каждым своим грехом, малым или великим, принудил Сына Божия стать Сыном Человеческим и умереть моей смертью, чтобы я мог ожить Его жизнью.

Но победа — не смерть, а жизнь.

И Господь нас зовет в течение этого поста пережить эти недели как весну духовную, как время, когда мы проснемся от холодного, зимнего, темного сна и войдем в новую жизнь. Это не значит, что в этом искании Бога, в этой устремленности к Нему не будет скорби, не будет стыда, не будет боли, но это значит несомненно, что мы устремлены к Тому, Который стоит с раскрытыми объятиями, ожидая нас, как отец ожидал блудного сына.

Пост — покаянное время, это время, когда мы идем на ликование Божие, на ликование святых, на ликование ангелов, на ликование всех родных, которые ушли уже в вечную жизнь, и всех тех, которые нас когда-то любили и которые плакали над нами, оскверненными, и которые теперь нас встречают очищенными.

О Боже, разве это тот скорбный пост, о котором часто люди говорят и думают, что вот сорок дней надо себя лишать всякого утешения, обычные радости должны отойти, даже пища должна стать скучной?

Нет, если мы постимся телесно, то мы постимся так, чтобы тренировать свое тело для подвига.

Да, человек больше не ест того, от чего он отяжелевает, от чего мускулы его уходят, от чего тело покрывается жиром, от того, что энергия гаснет; он ест такую пищу, которая обновляет в нем жизненные силы.

И вот об этом и говорит телесный пост: ешь, но ешь так, чтобы пища укрепляла твое тело, сделала его живым, отстраняясь от той пищи, которая тебя отягощает и не дает жить полной жизнью.

Пост не значит изнурение, пост не значит голодовка, пост не значит лишение себя всего того, что мы любим, а только лишение себя того, что нас разрушает. К посту надо относиться так: пост нам дан как воздержание от пищи и от многого другого, как способ ожить, окрепнуть и телом, и духом и стать более способным рваться ко Христу, всей любовью, всей верой нашей.

Апостол Павел учит, что пища не приближает нас к Богу, она и не удаляет, если она принимается, как дар Божий, благоговейно (см.: 1 Кор. 8: 8).

Отец Александр Шмеман говорил, что все, что нам дано, — это Божественная любовь, даже пища, которую мы едим, — это Божественная любовь, ставшая съедобной. Да, если мы так будем принимать пищу, как Божественную любовь, которая нам дана для жизни, то мы не будем грешить.

Антоний, митрополит Сурожский

Как правильно поститься

Великий пост — самый продолжительный и строгий пост Православной Церкви. Разъяснения о том, как правильно поститься, содержатся в богослужебной книге Типикон. Церковный устав выделяет несколько степеней строгости поста: полное воздержание от пищи; сухоядение; горячая пища без масла; горячая пища с растительным маслом; вкушение рыбы и др.

Так, например, согласно Типикону два дня первой недели поста и Великая Пятница (пятница Страстной недели) — дни строгого поста — воздержания от пищи. В остальные дни Великого поста, кроме субботних и воскресных дней, разрешается растительная пища без масла, которая принимается один раз, в вечернее время. В субботние и воскресные дни можно употреблять сваренную растительную пищу с маслом дважды в день. Мясо, яйца, молочные продукты, животные жиры исключаются полностью. Рыба разрешается на Благовещение и в Вербное воскресенье. Рыбная икра — в Лазареву субботу.

Однако необходимо помнить, что указанные в Церковном уставе правила были составлены в древних монастырях (Русская Православная Церковь использует Иерусалимский устав, созданный в VI веке преподобным Саввой Освященным) и представляют собой идеал поста, идеальный образ, к которому мирянин должен стремиться. Соблюдать пост во всей полноте, по Уставу, сегодня способны немногие, и далеко не каждого человека на это благословят. Так что послабление поста, которое традиционно допускает Православная

Церковь, существует практически для всех. А вот степень послабления зависит от индивидуальных качеств человека, от его здоровья, от возраста, от обстоятельств и образа жизни. Поэтому, прежде чем приступить к подвигу поста, христианину нужно посоветоваться со священником, у которого он обычно исповедуется. С этим же священником человек может и скорректировать меру поста, если через какое-то время почувствует, что взял на себя подвиг не по силам или, наоборот, слишком легкий труд.

Чем же укреплять свое тело во время Великого поста? У многих возникают опасения, что запрет на вкушение животной пищи сделает их рацион слишком однообразным.

Некоторых пугает мысль, что растительная пища не даст им столько сил, сколько необходимо для исполнения ежедневной работы.

Порой и в семье кто-то пришел к Богу, а кто-то церковной жизни и ее правил не понимает и не принимает.

Трудности есть, но трудно — это не значит невозможно, и если человек решается поститься, то все препятствия преодолеваются.

Ведь постная пища может быть и вкусной, и питательной, и полезной. В наших силах сделать постный стол таким, что домашние не будут чувствовать голода и дискомфорта.

Известный писатель Иван Сергеевич Шмелев, выходец из купеческой семьи, в книге «Лето Господне» описал, что в доме родителей подавали на стол во время Великого поста: «В передней стоят миски с желтыми солеными огурцами, с воткнутыми в них зонтичками укропа, и с рубленой капустой, кислой, густо посыпанной анисом, — такая прелесть. Я хватаю щепотками, — как хрустит! И даю себе слово не скоромиться во весь пост. Зачем скоромное, которое губит душу, если и без того все вкусно? Будут варить компот, делать картофельные котлеты с черносливом и шепталой, маковый хлеб с красивыми завитушками из сахарного мака, розовые баранки, "кресты" на Крестопоклонной…

Заливные орехи, засахаренный миндаль, горох моченый, бублики и сайки, изюм кувшинный, пастила рябиновая, постный сахар — лимонный, малиновый, с апельсинчиками внутри, халва. А жареная гречневая каша с луком, запить кваском! А постные пирожки с груздями, а гречневые блины с луком по субботам... а кутья с мармеладом в первую субботу... А миндальное молоко с белым киселем, а киселек клюквенный с ванилью, а ...великая кулебяка на Благовещение, с вязигой, с осетринкой!» Вот уж действительно, не захочешь скоромного!

Как говорил еще один шмелевский герой — простой и мудрый Горкин: «Православная наша вера, русская... она... самая хорошая, веселая! и слабого облегчает, уныние просветляет, и малым радость».

В настоящей книге предлагается подробное меню на каждый день Великого поста, которое поможет хозяйкам быстро приготовить такие вкусные и сытные блюда, что все домашние будут ждать и желать следующего поста. Время же, необходимое для поисков постных рецептов, останется для молитвы.

Кулинарная арифметика

Мерная таблица сыпучих продуктов

Название продукта	Тонкий стакан (250 мл), в граммах	Граненый стакан (200 мл), в граммах	Столовая ложка (с горкой), в граммах	Чайная ложка (с горкой), в граммах
Сахар (сахарный песок)	200	160	25	7
Соль крупная	360	280	30	10
Соль мелкая	400	320	30	10
Сода пищевая	200	160	28	12
Сухое молоко	120	95	–	–
Дрожжи сухие	–	–	12	4
Желатин	–	–	15	5
Крахмал	160	130	30	10
Лимонная кислота	300	250	20	7
Разрыхлитель	–	–	15	5
Протеин	–	–	15	5
Сахарная пудра	190	140	24	8
Кофе молотый	–	–	20	10
Какао	–	–	15	5
Манная крупа	200	160	25	10
Мука (пшеничная, кукурузная, картофельная)	160	130	30	10
Сухари молотые	125	–	15	5
Перец душистый (горошком)	–	–	–	4,5
Перец черный молотый	–	–	–	5,5
Перец красный молотый	–	–	–	1,5
Гвоздика молотая	–	–	–	3
Гвоздика (бутоны)	–	–	–	4

Название продукта	Тонкий стакан (250 мл), в граммах	Граненый стакан (200 мл), в граммах	Столовая ложка (с горкой), в граммах	Чайная ложка (с горкой), в граммах
Мак	155	125	15	5
Крупа гречневая	210	170	25	7
Крупа пшенная	220	180	25	8
Хлопья овсяные «Геркулес»	90	70	12	6
Крупа перловая	230	180	25	8
Крупа ячневая	180	145	20	7
Крупа кукурузная	180	145	20	7
Толокно	140	–	–	–
Рис	240	180	30	10

Мерная таблица жидких продуктов

Название продукта	Тонкий стакан (250 мл), в граммах	Граненый стакан (200 мл), в граммах	Столовая ложка (с горкой), в граммах	Чайная ложка (с горкой), в граммах
Молоко	250	200	15	5
Сливки	250	200	15	5
Сметана	260	210	25	10
Сгущенное молоко	–	–	30	12
Растительное масло (подсолнечное)	–	–	17	5
Маргарин растопленный	230	180	15	5
Сливочное масло растопленное	–	–	25	8
Уксус столовый	250	200	15	5
Мед	–	–	21	7
Томатная паста	–	–	30	10
Вода	250	200	15	5

Название продукта	Тонкий стакан (250 мл), в граммах	Граненый стакан (200 мл), в граммах	Столовая ложка (с горкой), в граммах	Чайная ложка (с горкой), в граммах
Варенье	325	270	35	15
Кефир	–	250	18	6
Йогурт	–	250	25	10
Соевый соус	–	230	21	7
Майонез	–	260	25	8

Таблица мер и весов ягод, плодов, бобовых и сухофруктов

Название продукта	Тонкий стакан (250 мл), в граммах	Граненый стакан (200 мл), в граммах	Столовая ложка (с горкой), в граммах	Чайная ложка (с горкой), в граммах
Арахис	175	140	25	8
Миндаль	160	130	30	10
Изюм	190	155	25	7
Фундук	160	130	30	10
Горох лущеный	230	170	25	8
Фасоль	220	190	24	7
Чечевица	210	185	24	7
Грецкие орехи	165	130	30	10
Кедровые орехи	140	110	10	4
Семечки подсолнуха	170	135	25	8
Тыквенные семечки	125	95	20	7
Вишня (черешня)	165	130	–	–
Клубника	150	120	25	–
Малина	180	145	30	–
Смородина черная	155	125	25	8
Смородина красная	175	140	30	10

Название продукта	Тонкий стакан (250 мл), в граммах	Граненый стакан (200 мл), в граммах	Столовая ложка (с горкой), в граммах	Чайная ложка (с горкой), в граммах
Клюква	145	115	25	–
Брусника	140	110	20	–
Ежевика	190	150	30	–
Крыжовник	210	165	35	–
Черника свежая	200	160	35	–
Черника сушеная	130	110	15	–
Шиповник сушеный	–	–	20	7
Голубика	200	160	35	–

Таблица веса фруктов, овощей и некоторых продуктов

Название продукта	Вес одной штуки, в граммах
Яйцо С0	55–60
Яйцо С1	50–55
Яйцо С2	40–45
Абрикос	40
Апельсин	140
Баклажан	200
Груша	135
Земляника (одна ягодка)	8
Капуста белокочанная	от 1500
Картофель среднего размера	100
Лимон	50–70
Лук репчатый среднего размера	75
Морковь среднего размера	75
Огурец среднего размера	100
Персик	85
Корень петрушки	150
Помидор	75

Редис	20
Редька	170
Репа	85
Слива	30
Капуста цветная (средний по размерам кочан)	750
Яблоко	90
Яичный белок	30
Яичный желток	20

Мера объема жидкости в ложке и в стакане

В одной чайной ложке — 5 мл.
В одной десертной ложке — 10 мл = 2 чайных ложки.
В одной столовой ложке — 15 мл = 3 чайных ложки.
В граненом стакане — 200 мл.
В одном чайном (тонком) стакане — 250 мл.

Общие кулинарные термины

Аль денте (от итал. al dente — на зубок; произносится аль дэ́нтэ) — в широком смысле понятие в кулинарии, характеризующее одну из разновидностей степени готовности к употреблению какого-либо продукта после его термической обработки. В узком смысле применяется лишь к макаронным изделиям. Характерной особенностью приготовленных аль денте овощей, макаронных изделий является сохранение ими после термической обработки ощутимой при укусе внутренней упругости. Овощи аль денте в момент завершения процесса приготовления необходимо подвергнуть внезапному охлаждению (опустить в холодную воду или в воду со льдом). Продукт со степенью готовности аль денте не прилипает к зубам, а также имеет равномерный цвет на срезе.

Бланширование — ошпаривание продукта кипятком или паром. Применяется для сохранения цвета, устранения специфического запаха или привкуса, горечи, для облегчения снятия шкурки и т. п. Бланшируют обычно овощи, фрукты, рыбу.

Конкассе (от фр. concasser — дробление; произносится конкассэ́) — метод нарезки различных продуктов. Этот термин получает все большее распространение в связи с популярностью томатного конкассе — соуса из томатов (помидоров), с которых удалены кожица и семена, нарезанных мелкими кубиками (2–5 мм) и смешенных с приправами.

Панирование — обваливание порционных кусков мяса, рыбы, изделий из котлетной массы в молотых сухарях или в муке непосредственно перед обжаркой.

Пассерование — тепловая обработка в жиру до размягчения. Пассеровка и обжаривание — это два разных способа. Пассеровка — варка продуктов в масле; обжаривание — доведение продукта до румяной корочки. Для правильной пассеровки продукты надо мелко нашинковать и высушить. На хорошо раскаленной сковороде разогреть масло. Можно бросить кусочек лука, и если он подпрыгнет, то температура сбудет считаться оптимальной для пассеровки. Количество жира составляет 15–20 % от общего веса овощей. Важно, чтобы в процессе пассеровки каждый овощ был покрыт маслом. Овощи готовят на медленном огне 15 минут, часто помешивая. Постепенно жир приобретет оранжевый оттенок, сок из овощей выпарится. Овощи станут румяными, но не поджаренными.

Припускание — отваривание в небольшом количестве бульона или воды, или в собственном соку, когда жидкость покрывает продукт максимум наполовину. Для посуды, в которой производится припускание, желательно выбрать плотно прилегающую крышку.

Шинкование — нарезание на мелкие и довольно узкие кусочки. Это термин применяется в кулинарии относительно овощей, свежей зелени, фруктов, кореньев и грибов, а вот все другие продукты — мясо, рыбу, сыр — режут, а не шинкуют.

Седмица 1-я
Великого поста

ПОНЕДЕЛЬНИК

ઝ ЗАВТРАК ભ

Постный омлет
(На четыре порции)

Мука нутовая — 1½ стакана, семена льна — 3 ст. ложки, помидоры — 1 шт., куркума, черный молотый перец, тимьян — по щепотке, зелень — 1 пучок, вода — ⅓ стакана, оливки или маслины, постное масло, соль — по вкусу.

Измельчить семена льна при помощи кофемолки или блендера, соединить с нутовой мукой. Добавить приправы и воду, перемешать. Помидор помыть, мелко нарезать. В полученную основу добавить нарезанный помидор, зелень, оливки или маслины. Выложить в смазанную маслом сковороду и жарить под крышкой.

ઝ ОБЕД ભ

Салат из краснокочанной капусты с яблоками
(На четыре порции)

Краснокочанная капуста — 500 г, яблоки — 2 шт., уксус — ¼ стакана, сахар — ½ ст. ложки, соль — ½ ч. ложки.

Капусту помыть, разрезать на 4 части, удалить кочерыжку. Тонко нашинковать острым ножом. Выложить в кастрюлю и обдать крутым кипятком, накрыть крышкой, дать постоять 20—30 мин. Откинуть на дуршлаг. Затем облить холодной водой, отжать, сложить в салатник, заправить уксусом, солью, сахаром, перемешать и дать постоять 20–30 мин. Капусту можно не обдавать кипятком, а посолить и перетереть руками до тех пор, пока она не станет мягкой и не начнет выделяться темный сок. Тогда капусту нужно отжать и залить уксусом, добавить сахар и перемешать. Через несколько минут окраска капусты станет яркой. Яблоки помыть, очистить от кожицы, нарезать ломтиками или кубиками. В готовый салат добавить яблоки.

Томатный суп с чечевицей
(На четыре порции)

Желтая чечевица — ½ стакана, лук репчатый — 1 шт., морковь — 1 шт., корень сельдерея — 100 г, томатная паста — 2 стакана, вода — 1 л, лавровый лист — 1 шт., оливковое масло — 3 ст. ложки, соль, черный молотый перец — по вкусу.

Чечевицу залить водой, посолить и варить под крышкой 30 мин. Снимать по необходимости пену. Лук помыть, очистить, нарезать кубиками. Морковь помыть, очистить, тонко нашинковать. В глубокой сковороде разогреть оливковое масло. Потушить лук и нашинкованную морковку. Сельдерей помыть, нарезать кубиками, добавить в сковороду и готовить до тех пор, пока он не станет прозрачным. Положить в суп овощи, влить томатную пасту, приправить перцем, посолить. Томатную пасту можно заменить томатным соком или жидкостью от помидоров в собственном соку. Варить суп на небольшом огне в кастрюле с приоткрытой крышкой в течение 25 мин., пока суп не загустеет.

Овощное рагу с грибами
(На четыре порции)

Тыква без семян — 750 г, лук репчатый — 2 шт., черешковый сельдерей — 2 стебля, морковь — 2 шт., чеснок — 2 зубчика, фасоль зеленая — 220 г, овощной бульон — 700 мл, шалфей — ½ ч.

ложки, *красный болгарский перец — 1 шт., шампиньоны — 400 г, оливковое масло — 2 ст. ложки, дижонская горчица — 1 ст. ложка, мед — 1 ст. ложка.*

Помыть и нарезать лук, морковь, сельдерей, тыкву, перец. Фасоль разрезать на половинки. Измельчить чеснок. Разогреть оливковое масло в большой кастрюле на среднем огне. Положить лук и сельдерей. Жарить 3 мин. Добавить морковь и чеснок, готовить 2 мин. Положить тыкву, фасоль, шалфей, влить овощной бульон, довести до кипения. Тушить 15 мин., почти до готовности тыквы. Добавить перец и грибы, готовить 5—10 мин., пока овощи не станут мягкими. В маленькой миске взбить горчицу с медом. Влить в рагу.

Овощной бульон

Вода — 1 л, картофель — 4 шт., морковь — 2 шт., репа — 1 шт., лук репчатый — 1 шт., корень сельдерея — 50 г, корень петрушки — 50 г, чеснок — 2 зубчика, гвоздика — 1 шт., лавровый лист, зелень, соль, черный перец горошком — по вкусу.

Помыть овощи, очистить и поставить на слабый огонь. В луковицу воткнуть гвоздику, чтобы ослабить запах. После закипания убавить огонь, добавить перец, лавровый лист и посолить. Варить 20 мин., пока морковь не станет мягкой. Процедить через дуршлаг.

ঙ УЖИН ৎ

Жареный корень сельдерея

(На четыре порции)

Корень сельдерея — 400 г, томатная паста — 140 г, постное масло — 8 ст. ложек, панировочные сухари, соль, черный молотый перец — по вкусу.

Сельдерей помыть, порезать на ломтики, посолить и поперчить. Намазать на ломтики сельдерея томатную пасту, обвалять в сухарях и обжарить.

Гречневые котлеты
(На четыре порции)

Вода — 3 стакана, гречка — 1 стакан, лук репчатый — 2 шт., панировочные сухари — 4 ст. ложки, постное масло, зира, кориандр, соль, перец, петрушка — по вкусу.

Гречку и воду соединить и сварить, выложить в миску и дать остыть. Лук помыть, очистить, натереть. Добавить 3 ст. ложки сухарей и 2 ст. ложки воды, зиру, кориандр, перец и соль, все перемешать. Сформировать котлеты. Выложить их на раскаленную сковородку с постным маслом. Чтобы получилась румяная корочка, сковороду с котлетами не надо накрывать. Когда подрумянились — перевернуть. Долго жарить не нужно, так как каша уже готова. Подать котлеты с подливкой и зеленью.

Подливка

Лук репчатый — 1 шт., шампиньоны — 300 г, мука — 1 ст. ложка, овощной бульон (см. стр. 18).

Обжарить лук, добавить грибы. Тушить все до готовности. Посыпать мукой, постепенно добавить бульон, чтобы соус получился нужной густоты. Посолить, поперчить.

ВТОРНИК

ჯ ЗАВТРАК ൙

Салат из авокадо и сельдерея с пастой урбеч
(На четыре порции)

Авокадо — 2 шт., черешковый сельдерей — 4 стебля, латук-салат — несколько листьев, руккола — 60 г, оливки без косточки — 100 г, постное масло — 4 ст. ложки, лимонный сок — 1 ст. ложка, кунжутный урбеч — 6 ст. ложек, чеснок — 1 зубчик, соевый соус — 6 ст. ложек.

Авокадо очистить, нарезать небольшими кубиками. Порезать стебли сельдерея. Выложить листья салата и рукколу в глубокий салатник. Добавить авокадо, сельдерей, оливки. Смешать кунжутный урбеч, постное масло, лимонный сок и соевый соус, можно выдавить зубчик чеснока. Полить заправкой салат.

Урбеч

Подсолнечные, тыквенные, кунжутные семена или орехи, мед, сироп — по вкусу.

Семена или орехи предварительно поджарить или подсушить. Измельчить с помощью погружного блендера до превращения в густую массу. Добавить либо мед, либо сироп. Если урбеч измельчить до более жидкого состояния, его можно намазывать тонким слоем на хлебцы, а также добавлять в каши и мюсли. После приготовления хранить в холодильнике.

Надо помнить, что все салаты из сырых овощей готовят непосредственно перед подачей на стол; если овощи будут лежать нарезанными, да еще на свету, они потеряют питательную ценность и вкус.

ര ОБЕД ൬

Салат из огурцов с перцем чили
(На четыре порции)

Огурцы — 2 шт., перец чили — 1 шт., черный рисовый уксус — 50 г, кунжутное масло — 50 г, соевый соус — 2 ст. ложки, кедровые орехи — 2 ст. ложки.

Огурцы помыть и очистить, нарезать крупной соломкой. Перец очистить от семян и нарезать кольцами. Кунжутное масло смешать с соевым соусом и черным рисовым уксусом и залить этой заправкой огурцы с перцем. Дать настояться 3 мин. Перед подачей посыпать кедровыми орехами.

Пельмени с грибами
(На четыре порции)

Тесто

Мука пшеничная — 2 стакана, кипяток — ¼ стакана, подсолнечное масло — 4 ст. ложки.

В подсолнечное масло добавить крутой кипяток, влить в муку и быстро замесить тесто, хорошо размяв его руками, а затем раскатать в очень тонкий пласт, не подсыпая муки, так как это тесто не прилипает к доске.

Раскатанное тесто нарезать небольшими квадратиками или вырезать стаканом кружочки, положить на каждый кусочек начинку и слепить пельмени. Противень или сковородку смазать маслом, уложить на нее одним слоем пельмени и испечь в духовке на умеренном огне в течение 15–20 мин. Затем положить пельмени в горшочек, залить горячим грибным отваром, посолить, добавить пряности и поставить в духовку на 15 мин.

Начинка

Сушеные белые грибы — 30 г, крутая гречневая каша или отварной рис — 1 стакан, постное масло — 4 ст. ложки, лук репчатый — 1 шт., вода — ½ л, лавровый лист — 3 шт., чеснок — 2–3 зубчика, черный перец — 4–5 горошин, зелень петрушки — по вкусу.

Грибы отварить в воде, добавив лавровый лист, чеснок, черный перец и зелень петрушки. Отвар слить в отдельную посуду, а грибы мелко порубить, обжарить с луком на масле, перемешать с кашей и хорошо размять в однородную массу.

Острые баклажаны в аджике
(На шесть порций)

Баклажаны — 7 шт., болгарский перец — 6 шт., помидоры — 3 шт., чеснок — 3 зубчика, соль — 1 ч. ложка, сахар — 3 ч. ложки, постное масло, перец чили — по вкусу.

Баклажаны помыть, нарезать ровными колечками (ширина не больше одного сантиметра). Выложить в глубокую миску, залить подсоленной водой и оставить примерно на 40 мин. Пока баклажаны настаиваются, приготовить аджику. Взять помидоры, помыть их и очистить от шкурки. У болгарского перца удалить плодоножку и внутренние зерна, нарезать небольшими кусочками. Очистить зубчики чеснока. Добавить кусочки острого перца, без косточек. Измельчить все ингредиенты до пастообразного состояния. Можно использовать блендер, мясорубку или ступку. Затем поставить кастрюлю с аджикой на огонь и довести до кипения. После чего всыпать соль и сахар. Перемешать массу и готовить на медленном огне еще 10 мин. Когда баклажаны достаточно настоялись, слить воду, промыть кусочки и просушить с помощью бумажного полотенца. Подготовить противень, обильно залить его постным маслом. После этого выложить кусочки баклажана, с двух сторон обмакнув их в масле. Когда и баклажаны, и аджика достаточно остынут, в глубокой посуде смешать ингредиенты. Накрыть миску плотной крышкой и поставить в холодильник на 2 ч. настаиваться.

ഇ УЖИН ଓ

Пакоры

(На четыре порции)

Цукини — 2 шт., болгарский перец (двух цветов) — 2 шт., картофель — 2 шт., цветная капуста — 1 кочан, банан — 1 шт., мука нутовая — 150 г, мука пшеничная — 150 г, лук-порей — 1 шт., зира — 2 ч. ложки, куркума — 1 ч. ложка, постное масло — 400 мл, разрыхлитель — 1 ч. ложка, зерна кориандра, соль, сахар — по вкусу.

Смешать муку из нута и пшеницы, добавить соль и перемешать. На разогретой сухой сковороде обжарить зиру и кориандр. Картофель помыть, очистить, отварить. Цветную капусту разделить на соцветия, варить в подсоленной и подслащенной воде. Вареную цветную капусту поместить в холодную воду. Измельчить обжаренные пряности и куркуму, добавить в муку и перемешать. Нарезать цукини, болгарский перец двух цветов, лук-порей и вареный картофель. В муку с пряностями (немного муки оставить для панировки) добавить разрыхлитель и холодную воду, перемешать. Панировать овощи в муке, затем окунуть их в приготовленное тесто и отправить в разогретое постное масло. Очистить и нарезать банан. Панировать в муке, затем выложить в тесто. Обжарить на постном масле. Выложить к овощам.

Постное печенье с мармеладом
(На четыре порции)

Пшеничная мука — 2 стакана, минеральная вода — ½ стакана, подсолнечное масло — ½ стакана, пластовый мармелад или фруктовый джем, сахарная пудра — по вкусу.

Всыпать в миску муку, добавить воду и масло. Замесить крутое тесто, а затем раскатать скалкой в круглый пласт диаметром 25—30 см, толщиной 3—4 мм. Получившийся круг разрезать на 12 секторов. На широкую часть каждого сектора положить кусочек мармелада (джема) и завернуть тесто, начиная с широкой части, рулетиком. Печенье выложить на противень и поставить в разогретую до 200—220 °C духовку на 20—25 мин. Готовое печенье посыпать сахарной пудрой.

СРЕДА

ЗАВТРАК

Икра баклажанная
(На четыре порции)

Баклажаны — 1 кг, лук репчатый — 500 г, морковь — 500 г, красный болгарский перец — 500 г, томатный сок — 350—500 мл, постное масло — 6 ст. ложек, соль — 1 ст. ложка, сахарный песок — 1 ст. ложка.

Баклажаны помыть. Срезать плодоножки. На противоположной стороне каждого овоща сделать ножом крестообразные надрезы, опустить в подсоленную воду (1 л воды — 10 г соли) на 20–30 мин., промыть и просушить. Затем запечь в духовке, нагретой до 180 °C в течение 30 мин. Остудить, разрезать пополам, вынуть мякоть и размять ее ложкой. Лук помыть, очистить, порезать полукольцами и обжарить на постном масле, посолить. Морковь помыть, очистить, натереть на терке, отдельно обжарить, посолить. Перец помыть, удалить плодоножку и семена, порезать соломкой и обжарить. Все ингредиенты смешать, добавить томатный сок, сахар. Тушить на огне 30 мин.

Приготовить блюдо можно из обжаренных баклажанов. Для этого их нужно очистить, нарезать кубиками, посолить, дать отстояться и обжарить на постном масле до готовности.

ОБЕД

Винегрет

(На четыре порции)

Картофель — 400 г, свёкла — 400 г, морковь — 300 г, капуста квашеная — 150 г, соленые огурцы — 200 г, горошек зеленый консервированный — 150 г, лук репчатый — 150 г, подсолнечное ароматное масло, соль, черный молотый перец, уксус или лимонный сок — по вкусу.

Картофель, свёклу, морковь отварить по отдельности. В кастрюлю со свёклой добавить немного уксуса, чтобы сохранить цвет. Затем очистить овощи от кожуры и вместе с огурцами и луком нарезать кубиками. Прежде чем все соединить, свёклу заправить маслом, чтобы не окрасить остальные овощи. В овощи добавить горошек, квашеную капусту, соль и перец, заправить маслом и уксусом (лимонным соком), перемешать.

Суп из брокколи, сельдерея и шпината
(На четыре порции)

Овощной бульон (см. стр. 18) — 2 л, брокколи — 500 г, шпинат — 500 г, корень сельдерея — 200 г, лук репчатый — 200 г, чеснок — 4 зубчика, оливковое масло — 4 ст. ложки, постные сливки — 6 ст. ложек, тертый мускатный орех — щепотка, соль, черный молотый перец — по вкусу.

Брокколи, шпинат, сельдерей промыть и опустить в кипящую подсоленную воду (1 кг овощей — 4 л кипятка) и бланшировать 5 мин. Важно не сварить овощи. Лук и чеснок мелко нарезать, обжарить на разогретом оливковом масле, затем добавить вместе с зелеными овощами в кастрюлю с горячим бульоном. Варить 5 мин. Остудить и взбить в блендере. Перелить обратно в кастрюлю и добавить постные сливки. Приправить мускатным орехом, солью и перцем.

Постные сливки
Миндаль — 300 г, вода — 400 мл.

Миндаль хорошо промыть. Залить крутым кипятком на 3 мин. Откинуть на сито, обдать холодной водой. Подготовленный таким образом миндаль легко почистить. Затем перемолоть миндаль в блендере. Долить в блендер стакан воды и перемолоть миндаль до состояния трухи. Получившуюся массу выложить в ситечко и отжать всю жидкость из миндальной массы. Получившиеся сливки слить в молочник.

Перчики в маринаде
(На три-четыре порции)

Болгарский перец — 800 г, морковь — 300 г, лук репчатый — 300 г, белокочанная капуста — 300 г, постное масло — 60 мл.

Перцы помыть, срезать крышечки и, удалив семена, положить в кастрюлю с холодной водой, варить 5—7 мин. Морковь и лук помыть и нарезать, обжарить на постном масле, а затем добавить нашинкованную капусту. Продолжать тушить на слабом огне до готовности.

Капусту нельзя жарить сырой: если ее нагревать без воды, она быстро теряет влагу и высыхает. Выход простой: капусту сначала нужно отварить, нашинковать, а затем уже поджаривать.

Наполнить перцы тушеными овощами, уложить в сотейник, залить маринадом и тушить в духовке при температуре 150 °С примерно 20–30 мин.

Маринад

Морковь — 100 г, корень сельдерея — 15 г, лук репчатый — 50 г, кетчуп — 100 г, постное масло — 30 мл, уксус — 50 мл, овощной бульон (см. стр. 18) — 200 мл., специи — по вкусу.

Овощи помыть и нарезать тонкой соломкой, обжарить на масле, добавить кетчуп, тушить 5–7 мин. Затем влить горячий овощной бульон, довести до кипения, заправить уксусом и специями и подержать на огне еще 10–15 мин., непрерывно помешивая.

ജ **УЖИН** ക

Фруктовый салат

(На четыре порции)

Бананы — 4 шт., яблоки — 4 шт., сливы — 8 шт., мандарины — 6 шт., киви — 4–6 шт., виноград — 24 виноградины, апельсины или грейпфруты — 2 шт., орехи (кедровые, грецкие, арахис) — 6–8 ст. ложек, сахарная пудра — по вкусу.

Фрукты помыть. Бананы, яблоки, мандарины, киви, апельсины очистить от кожуры. Все ингредиенты порезать на крупные кусочки, добавить орехи и перемешать. Посыпать сахарной пудрой.

Плов с фасолью

(На четыре порции)

Длиннозерный рис — 250 г, красная фасоль — 250 г, помидоры — 4 шт., лук репчатый — 1 шт., чеснок — 2–3 зубчика, овощной бульон (см. стр. 18) — 3–4 стакана, копченая паприка — 1 ст. ложка, сухой тимьян — 1 ч. ложка, кайенский перец — ½ ч. ложки, соль — 1 ст. ложка., постное масло — 4 ст. ложки.

Отварить фасоль, откинуть на дуршлаг и дать остыть. Лук нарезать мелкими кубиками, чеснок измельчить. Помидоры нарезать кубиками. В кастрюле разогреть масло, положить лук, чеснок, тимьян, копченую паприку, кайенский перец и перемешать. Обжарить в течение 1 мин. Добавить помидоры. Перемешать, тушить 5–7 мин. Рис промыть 7 раз, добавить в кастрюлю. Обжаривать рис с овощами 2 мин., помешивать. Залить рис горячим бульоном, посолить и перемешать. Варить на среднем огне примерно 25 мин. Через 10 мин. добавить фасоль. Готовить до полного впитывания воды.

ЧЕТВЕРГ

❧ ЗАВТРАК ❧

Грибная икра

(На четыре порции)

Грибы (свежие или замороженные) — 300 г, лук репчатый — 50 г, грибной бульон — ½ стакана, чеснок — 3–4 зубчика, масло грецкого ореха, соль, уксус, черный молотый перец — по вкусу.

Грибы промыть, высыпать в кастрюлю с водой и варить в течение 5–10 мин. За 2 мин. до конца варки посолить. Грибы откинуть на дуршлаг и дать стечь воде в отдельную емкость. Бульон, в котором варились грибы, не выливать, а оставить для дальнейшего использования. Грибы мелко порубить или пропустить через мясорубку. Лук помыть, почистить, измельчить и слегка обжарить на масле грецкого ореха. Затем перемешать его с грибами в глубокой сковороде, добавить грибной бульон и тушить на слабом огне до выкипания жидкости. Поперчить, приправить уксусом.

ജ ОБЕД ൠ

Салат из овощей с оригинальной заправкой
(На четыре порции)

Огурцы — 2 шт., морковь — 2 шт., баклажаны — 1 шт., стручковая фасоль — 200 г, лук-шалот — 1 шт., пророщенные бобы — 3 горсточки, оливковое масло — 1 л, базилик — по вкусу.

Шалот и баклажан помыть, почистить и нарезать тонкими кружочками. Обжарить на оливковом масле до хруста, выложить на бумажное полотенце. Стручки фасоли отварить в кипящей подсоленной воде. Огурцы помыть, очистить от кожуры, нарезать кружочками. Морковь помыть и вместе с поджаренными кружочками баклажанов нарезать соломкой. Все перемешать, добавить пророщенные бобы и заправить. Посыпать луком и базиликом.

Заправка

Арахис — 100 г, чеснок — 8 зубчиков, тамариндовая паста — 2 ч. ложки, соль — 3 ч. ложки, имбирь (свежий или маринованный), перец чили — по вкусу.

Ингредиенты измельчить в блендере до однородности, при необходимости добавить воду.

Томатный суп-пюре
(На четыре порции)

Томаты в собственном соку — 1,4 кг, болгарский перец — 2 шт., чеснок — 4 зубчика, овощной бульон (см. стр. 18) — 1 л, оливковое масло — 2 ст. ложки, постные сливки (см. стр. 25) — 6 ст. ложек, чесночные гренки, зелень, соль, черный молотый перец — по вкусу.

Размять томаты вилкой. Порезать чеснок и обжарить на оливковом масле. Перец помыть, запечь в духовке, очистить от кожицы и семян, крупно порезать. Томаты, болгарский перец, чеснок измельчить в блендере. Добавить соль, молотый перец. Выложить в кастрюлю, залить овощным бульоном и довести до кипения. В конце долить постные сливки. При подаче посыпать зеленью. Отдельно подать чесночные гренки.

Чесночные гренки

Белый черствый хлеб — 1 батон, чеснок — 4 зубчика, оливковое масло — 200 мл.

Срезать корку с белого хлеба. Мякоть нарезать кубиками, выложить на противень. Чеснок измельчить и положить в сито, через него полить хлеб оливковым маслом. Запечь в духовке, нагретой до 180 °С.

Капуста по-французски
(На четыре порции)

Брюссельская капуста — 600 г, лук-шалот — 5 шт., моченые яблоки — 2 шт., овощной бульон (см. стр. 18) — 150 мл, лимонный сок — 30 мл, петрушка (нарезанная зелень) — 1 ст. ложка, миндаль — 1 ст. ложка, мускатный орех, красный и черный молотый перец, соль — по вкусу, зелень — для украшения.

Капусту очистить, вымыть, крестообразно разрезать, варить 15 мин., откинуть на дуршлаг. В сковороде потушить на воде лук, добавить капусту и овощной бульон, довести до кипения. Очистить моченые яблоки, сбрызнуть лимонным соком, добавить к капусте. Добавить петрушку и нарезанный миндаль. Посолить, приправить и перемешать.

Если хотите замочить яблоки сами, то лучшие сорта для замачивания «Антоновка» и «Антоновка-каменичка», «Бель», «Анис», «Титовка», «Пепин». Яблоки мочат в трехлитровых банках. Самый простой рецепт. Яблоки нужно помыть. Затем приготовить маринад: вскипятить 2,5 л воды, добавить по 1 ст. ложке сахара и соли. Поместить яблоки в банки и залить горячим маринадом. Полиэтиленовую крышку опустить в кипяток на 20 сек., затем плотно закрыть ею банку с яблоками. Через 14 дней яблоки будут готовы.

ও УЖИН ল

Салат из яблок с сельдереем и орехами
(На три-четыре порции)

Яблоки — 200 г, морковь — 300 г, огурцы — 200 г, листовой сельдерей — 2 пучка, листовой салат — 2 пучка, консервированная кукуруза — 150 г, очищенные грецкие орехи — 8 ст. ложек, масло грецкого ореха — 100 мл, соль, сахар — по вкусу.

Яблоки вымыть, удалить сердцевину, нарезать кубиками. Морковь вымыть, почистить, нарезать брусочками. Огурец вымыть и также нарезать брусочками. Консервированную кукурузу откинуть на дуршлаг и смешать с ранее подготовленными продуктами. Орехи обжарить. Мелко порубить сельдерей. Одну половину листового салата порвать и смешать с ранее подготовленными продуктами; вторую — поместить на тарелку, сверху выложить салат, посолить и добавить сахар. Заправить маслом грецкого ореха.

Постные пирожки
(На шесть порций)

Тесто

Мука пшеничная — 175 г, вода — 200 мл, постное масло — 1 ст. ложка, мука ржаная — 200 г, соль — по вкусу.

Просеять в миску два вида муки, добавить соль. Затем влить воду комнатной температуры и постное масло. Замесить эластичное тесто. Накрыть влажной салфеткой и дать отдохнуть 10 мин. Тесто скрутить колбаской и нарезать на 15–20 маленьких кусочков. Из них вылепить шарики, а затем тонко раскатать. Выложить начинку 1–2 ч. ложки. Защепить края с помощью вилки. Разогреть сковороду, налить постного масла, дождаться, когда оно прогреется, чтобы не ухудшился вкус, и обжарить каждый пирожок с двух сторон. Выложить пирожки на блюдо, покрытое бумажной салфеткой, чтобы удалить лишний жир.

Начинка

Картофель — 3 шт., лук зеленый — 1 пучок, постное масло — 2 ст. ложки, зира — 1½ ч. ложки, соль, черный молотый перец — по вкусу.

Очистить картофель и отварить его до полной готовности в подсоленной воде. Размять его, но не до однородности. В сковороде разогреть масло, добавить зиру. И, постоянно помешивая, прожарить на среднем огне 30 сек. Затем вылить остывшее масло в кастрюлю. Добавить туда мелко нарезанный лук, соль и перец, перемешать.

ПЯТНИЦА

В пятницу первой седмицы Великого поста после вечерни и Литургии Преждеосвященных Даров в храмах совершается молебный Канон великомученику Феодору Тирону и благословляется коливо.

ൠ ЗАВТРАК ൠ

Коливо (кутья)
(На четыре порции)

Рис — 200 г, изюм — 4 ст. ложки, вода — 400 мл, мед, постные сливки (см. стр. 25) — по вкусу.

Положить рис в кастрюлю и залить кипящей водой. Плотно закрыть крышкой, варить 3 мин. на сильном огне, 6 мин. — на среднем, 3 мин. — на слабом. Затем выключить огонь и еще 12 мин. не открывать крышку, давая рису настояться на пару. Отдельно сварить изюм, соединить с рисом, подсластить медом, предварительно разведенным в небольшом количестве кипяченой воды. К кутье подают в отдельном соуснике постное молоко, которое делают из мака, грецких, лесных орехов, миндаля или из их смеси.

ප ОБЕД ст

Баклажанные рулетики с грецкими орехами
(На пять-шесть порций)

Баклажаны — 500 г, грецкие орехи — 150 г, чеснок — 1 головка, кинза — 2 пучка, уксус — 2 ст. ложки, постное масло — 3 ст. ложки, уцхо-сунели, шафран, кориандр, соль, перец — по вкусу, зерна граната — для украшения.

Для рулетиков подойдут баклажаны средних размеров. В крупных много семян, и это может испортить вкус блюда. Из небольших овощей сложно сделать заготовки для закуски, важно, чтобы в процессе готовки они не превратились в «кашу».

Отобранные баклажаны вымыть, обсушить и порезать длинными тонкими лентами. Каждую полоску натереть солью, сложить в миску и оставить на час. Отжать, обжарить баклажаны на постном масле с двух сторон или запечь в духовке.

Орехи и чеснок измельчить в блендере, добавить приправы, уксус, перемешать до однородности. Добавить порубленную зелень, соль и перец.

Обжаренные полоски промазать полученной ореховой пастой и свернуть в рулетики.

Украсить зернами граната.

Холодный суп
(На три-четыре порции)

Вода — 2 л, сливы — 600 г, сахар — 300 г, крахмал — 2 ст. ложки, корица — щепотка.

Вскипятить воду с сахаром. Добавить корицу и сливы, разрезанные пополам. Готовить на слабом огне. Крахмал развести холодной водой и влить в суп. Варить еще несколько минут до загустения. Подавать суп холодным с сухариками.

Шпинат жареный
(На четыре порции)

Шпинат — 2 упаковки, оливковое масло — 6 ст. ложек, чеснок — 4 зубчика, лимонный сок, соль, черный молотый перец — по вкусу.

Листья шпината промыть, обсушить и обжарить на разогретом масле до потери объема. Выдавить чеснок, добавить немного лимонного сока, посолить и поперчить.

✑ УЖИН ☙

Салат с соусом из дикой сливы
(На четыре порции)

Стручковый горошек — 320 г, фасоль кенийская — 400 г, черешковый сельдерей — 2 стебля, мята — 4 веточки, кинза — 10 веточек, салатный микс — 250 г, соус из сливы — 240 г, лук фри — 80 г.

У фасоли и горошка обрезать концы и бланшировать в подсоленной воде до состояния аль денте. Горошек варить 1—2 мин., фасоль — 3—4 мин. После варки слить воду и засыпать льдом или залить холодной водой, чтобы зелень не переварилась и не потеряла цвет. Стебель сельдерея помыть, очистить и нарезать под углом 45° на ломтики толщиной 1—2 мм. Мяту и кинзу помыть, обсушить и нарвать листочки. Все ингредиенты соединить, заправить соусом и аккуратно перемешать. Разложить по тарелкам, посыпать луком фри.

Соус

Ткемали — 160 г, соус Tabasco — 2 капли, соевый соус — 2 ст. ложки, постное масло — 2 ст. ложки, кунжутное масло — 1 ч. ложка, лимонный сок — 4—6 капель, уксус рисовый — 1 ч. ложка, имбирь — 15 г, лук-шалот — 10 г, перец чили — 10 г, сахарная пудра — на кончике ножа.

Имбирь натереть на терке, лук-шалот и перец чили нашинковать в мелкую крошку. Все ингредиенты соединить и тщательно перемешать.

Лук фри

Лук репчатый — 2 шт., мука — 2 ст. ложки, постное масло — 200 г, соль — по вкусу.

Две небольшие головки лука помыть, очистить, нарезать кольцами, обвалять в муке. В кастрюлю налить масло, довести до температуры 170 °С. (Проверить температуру можно, окунув в масло деревянную шпажку, — от погруженного конца должны пойти пузыри.) Опустить в разогретое масло лук и жарить до румяной корочки. Выложить на салфетку, чтобы стекло масло, и подсолить.

Картофельные котлеты с изюмом

(На четыре порции)

Картофель — 8 шт., мука — 20 г, сахар — 4 ст. ложки, изюм — 40 г, постное масло — 4 ст. ложки, соль — по вкусу.

Отварить очищенный картофель в подсоленной воде и размять. Промыть изюм и добавить вместе с сахаром к картошке. Сформировать котлеты, обвалять их в муке и обжарить на масле до золотистого цвета.

СУББОТА

ൠ ЗАВТРАК ൠ

Хумус

(На четыре порции)

Нут — 100 г, лимонный сок — 10 мл, оливковое масло — 20 мл, зира — 5 г, копченая паприка — 5 г, тахини — 40 г, чеснок, красный молотый перец, петрушка, черный молотый перец, соль — по вкусу.

Варить нут на слабом огне до размягчения примерно 2 ч. Затем половину жидкости слить в отдельную емкость. Нут пюрировать в блендере, добавив оливковое масло, сок лимона, соль, специи и тахини. Подать с хлебом или хлебцами.

Тахини

Кунжут — 100 г, кунжутное масло — ⅛ стакана.

Подсушить кунжут в течение 10 мин. в духовке до золотистого цвета. Затем измельчить в блендере, постепенно добавляя масло. Тахини должна напоминать тягучую сметану. Хранить в холодильнике в закрытом виде до двух месяцев.

✂ ОБЕД ✂

Зеленая фасоль с грецкими орехами
(На четыре порции)

Молодая стручковая фасоль — 300 г, грецкие орехи — 100 г, чеснок — 1 зубчик, постное масло — 1 ст. ложка, винный уксус — 1 ст. ложка, зеленый лук (белая часть стебля) — 1 пучок, кинза или реган — 4 веточки, перец чили — 1 шт., соль — по вкусу.

Фасоль залить холодной водой в большой кастрюле, поставить на сильный огонь, довести до кипения и варить 7–10 мин. с открытой крышкой, чтобы стручки остались зелеными. Откинуть на дуршлаг, остудить. Очищенные орехи, чеснок, острый перец измельчить в блендере до состояния грубого пюре. Влить уксус, перемешать. Добавить масло, взбить. Листья регана или кинзы с зеленым луком порубить ножом и перемешать вместе с остывшей фасолью, посолить и заправить ореховым соусом. Перед подачей дать настояться 5 мин.

Тыквенный суп-пюре с медом и базиликом
(На четыре порции)

Овощной бульон (см. стр. 18) — 2 л, оранжевая тыква — 1 кг, цветочный мед — 6 ст. ложек, помидоры — 10 шт., лук репчатый — 4 шт., чеснок — 4 зубчика, очищенные тыквенные семечки — 1 стакан, постное масло — 10 ст. ложек, тертый мускатный орех — щепотка, базилик — маленький пучок, соль, черный молотый перец — по вкусу.

Тыкву помыть, очистить от кожуры и семечек. Нарезать на равные кусочки, выложить на противень, смазать маслом, посыпать перцем и мускатным орехом. Запекать в духовке, нагретой до 200 °C в течение 15 мин. Затем переложить в блендер, влить бульон и взбить до однородности. Перелить суп в кастрюлю и варить 5 мин. на среднем огне.

С помидоров снять кожицу, нарезать лук и помидоры мелкими кубиками. В трех столовых ложках масла обжарить очищенный чеснок. Положить лук и жарить 5 мин. Добавить помидоры и листики базилика, мед, соль, перец. Тушить 20 мин. Обжарить на сухой сковороде семечки тыквы. В тарелку налить тыквенный суп, сверху выложить помидорный соус. Украсить листиками базилика и тыквенными семечками.

Долма афонская с рисом
(На четыре порции)

Рис — 150 г, изюм — 4 ч. ложки, лук репчатый — 2 шт., кедровые орехи — 2 ст. ложки, оливковое масло — 60 мл, молотая корица — 2 щепотки, лимонный сок — 6 ст. ложек, маринованные виноградные листья — 300 г, соль, черный молотый перец, свежая зелень — по вкусу.

Рис варить в подсоленной воде (на 150 г риса 500 мл воды) на слабом огне 15 мин., затем откинуть на дуршлаг. Изюм размочить в теплой воде. Лук очистить и нарезать мелкими кубиками. Зелень вымыть и мелко порубить. Рис перемешать с изюмом, кедровыми орехами, луком и 3 ч. ложками оливкового масла. Добавить 1 ст. ложку лимонного сока, корицу, посолить и поперчить.

Виноградные листья вымыть, опустить на полминуты в кипящую воду и разложить на салфетке (кухонном полотенце). Поместить рисовую начинку в центр виноградных листьев, свернуть трубочкой. Долмы положить в кастрюлю вплотную другу к другу. В 250 мл воды добавить лимонный сок и оливковое масло, полить долмы и положить под гнет. Тушить под крышкой на среднем огне 1 ч. Жидкость должна целиком впитаться.

✷ УЖИН ✷

Пхали из лука-порея
(На четыре порции)

Лук-порей (белая часть стебля) — 550 г, грецкие орехи — 300 г, лук репчатый — 1 шт., чеснок — 1 зубчик, хмели-сунели — 1 ч. ложка, шафран — 1 ч. ложка, молотые семена кориандра — 1 ч. ложка, листья кинзы — горсть, винный уксус — 1 ст. ложка, соль, красный молотый перец — по вкусу.

Нарезать репчатый лук, высыпать в отдельную емкость и посолить. Оставить на 10 мин. Лук-порей разрезать вдоль, промыть, сложить в дуршлаг и опустить на 2 мин. в кипящую воду, переложить в ледяную воду, а затем мелко порубить. Орехи, чеснок и зелень измельчить в блендере. Добавить хмели-сунели, шафран, семена кориандра и острый перец, перемешать, переложить в емкость.

Отжать репчатый лук, добавить к смеси вместе с луком-пореем. Перемешать до однородной массы. Сформировать шарики.

Котлеты из цветной капусты
(На три-четыре порции)

Сухари из пшеничного хлеба — 100 г, замороженная цветная капуста — 1 пакет, постное масло — 2 ст. ложки, мука — 1½ ст. ложки.

Цветную капусту отварить в подсоленной воде, измельчить на терке. Сухари разломать, залить горячей водой, дать остыть, соединить с капустой. Размешать массу, добавить масло, муку, посыпать крошками от сухарей.

Сформировать котлеты, обвалять их в муке и обжарить на постном масле.

ВОСКРЕСЕНЬЕ

☙ ЗАВТРАК ☙

Салат «Лисичка»
(На три порции)

Помидоры — 3 шт., салат (разные виды) — 1 пучок, оливковое масло, соль, специи, ароматные травы, морковка корейская — по вкусу.

Порезать дольками помидоры, порвать листья салата. Чем больше разнообразных листьев, тем ярче салат. Добавить масло, специи, ароматные травы, соль. Все перемещать. Сверху выложить корейскую морковь.

Запеченная капуста с кокосом и халвой
(На три порции)

Белокочанная капуста — 200 г, молоко кокосовое — 100 г, тростниковый сахар — 10 г, подсолнечная халва — 50 г, зелень — 4 г, соль, перец — по вкусу.

Капусту разобрать на листья. Промыть, просушить, посыпать тростниковым сахаром и запекать в духовке при температуре 180 °C в течение 30–40 мин. Достать капусту из духовки, быстро обжарить на раскаленной сковороде, добавить кокосовое молоко, соль, перец и немного тростникового сахара.

Выложить капусту на тарелку и посыпать крошкой из халвы, украсить зеленью.

♋ ОБЕД ♋

Смородиново-медовый салат из огурцов
(На четыре порции)

Огурцы — 4 шт., смородиновый конфитюр или варенье — 2 ст. ложки, мед — 2 ст. ложки, кокосовое молоко — 4 ст. ложки, соль, черный молотый перец — по вкусу.

Огурцы нарезать кружочками. Смешать конфитюр, мед, кокосовое молоко, соль, перец и полить этой заправкой огурцы.

Суп из чечевицы с гренками
(На шесть порций)

Чечевица — 2 стакана, постное масло — 20 г, лук репчатый — 1 шт., постные сливки (см. стр. 25) — ½ стакана, вода — 2 ст. ложки, чесночные гренки (см. стр. 29), соль — по вкусу.

Чечевицу промыть и тушить в небольшом количестве кипящей воды под крышкой, добавив ложку постного масла. Время тушения зависит от сорта чечевицы: красную готовят 10 мин., зеленую — 30 мин., коричневую — 40 мин. (при этом ее следует предварительно замочить на 2 ч.). Когда крупа размягчится, измельчить ее в блендере.

Луковицу нашинковать и пассеровать в масле, затем добавить чечевицу, залить сцеженным из нее бульоном. Подлить воды и дать вскипеть. Постные сливки влить в суп, подогреть, посолить.

Отдельно подать гренки.

Гороховые оладьи с яблоками
(На четыре-пять порций)

Яблоки — 1 шт., гороховая мука — 1½ стакана, пшеничная мука — ½ стакана, дрожжи — ½ ст. ложки, сахар — 1 ст. ложка, постное масло — ½ ст. ложки, вода — 1½ стакана, соль — по вкусу.

В теплой воде растворить сахар, соль и дрожжи и добавить в просеянную смесь гороховой и пшеничной муки, замешать тесто и оставить на час в теплом месте. Когда тесто подойдет, добавить яблоки, нарезанные мелкими кубиками, размешать и выпекать, как обыкновенные оладьи.

ঝ УЖИН ৎ

Салат из красного сладкого перца, зеленого горошка и риса
(На четыре порции)

Рис — 180 г, красный болгарский перец — 6 шт., замороженный зеленый горошек — 180 г, уксус — 2 ст. ложки, постное масло — 2 ст. ложки, соль — по вкусу, петрушка — для украшения, маринованный перец чили, консервированный зеленый горошек — по желанию.

Рис отварить. Перцы целиком запечь в духовке. После запекания удалить плодоножку и семена, нарезать длинными полосками. Зеленый горошек отварить. Смешать овощи с рисом, посолить по вкусу. Заправить соусом из масла, уксуса и сахара. Выложить в салатник, украсить зеленью петрушки. В этом салате также можно использовать маринованный консервированный перец чили и консервированный зеленый горошек, при этом в заправку надо будет добавлять меньше уксуса.

Каша гречневая с грибами
(На четыре порции)

Сушеные грибы — 50 г, гречневая крупа — 1 стакан, постное масло — 40 г, лук репчатый — ½ луковицы, соль — по вкусу.

Грибы промыть, вымочить в воде, а затем порубить. Лук мелко нарезать и обжарить на масле. Крупу прокалить на сухой сковороде, затем залить кипятком и добавить вымоченные рубленые грибы, обжаренный на масле лук, соль и в закрытой сковороде тушить до размягчения крупы.

Седмица 2-я
Великого поста

ПОНЕДЕЛЬНИК

⊱ ЗАВТРАК ⊰

Капоната

(На четыре порции)

Баклажаны — 2 шт., помидоры — 3–4 шт., черешковый сельдерей — 1–2 стебля, лук репчатый — 1 шт., чеснок — ⅓ головки, оливки — 50 г, каперсы — 1 ст. ложка, оливковое масло — 50 мл, уксус — 1 ст. ложка, сахар или мед, соль, красный молотый перец, зелень — по вкусу.

Баклажаны очистить от кожицы, нарезать кубиками средней величины, сложить в миску, присыпать солью. Через 15 мин. промыть холодной водой, обсушить бумажным полотенцем. Разогреть на сковороде 2–3 ст. ложки масла, добавить баклажаны и обжарить в течение 4 мин. Переложить баклажаны в большую миску. Оливки и каперсы откинуть на мелкое сито, тщательно промыть от рассола, затем измельчить. Сельдерей вымыть, лук и чеснок очистить, все измельчить. Смешать обжаренные баклажаны, лук и сельдерей, подготовленные оливки и каперсы. Помидоры ошпарить крутым кипятком, снять с них кожицу. Мякоть нарезать небольшими кусочками. Разогреть в сковороде 1–2 ст. ложки масла, положить помидоры, добавить сахар. Тушить 4 мин. Добавить к помидорам уксус. Посолить и поперчить по вкусу. Готовить без крышки на сильном огне еще 7–8 мин. Петрушку вымыть, обсушить и измельчить. Баклажаны заправить томатным соусом, добавить петрушку, дать остыть до комнатной температуры. Подавать на стол, предварительно остудив в холодильнике.

✂ ОБЕД ✂

Салат из редьки с квашеной капустой
(На четыре порции)

Редька — 1 шт., квашеная капуста — 300 г, лук репчатый — 1 шт., постное масло — 2 ст. ложки, тмин — ½ ч. ложки.

Редьку очистить, залить холодной водой на 1 ч. Натереть на крупной терке, добавить квашеную капусту и нарезанный соломкой репчатый лук. Все тщательно перемешать, заправить маслом и тмином.

Суп том-ям
(На четыре порции)

Чеснок — 10 зубчиков, перец чили — 6 шт., лемонграсс — 12 палочек, свежий имбирь — 6 см или галангал — 10–20 мм, овощной бульон (см. стр. 18) — 800 мл, кокосовое молоко — 800 мл, креветки очищенные — 900 г, сушеные креветки — 100 г, грибы шиитаке, сухие (предварительно замочить в воде на 6–8 часов) или свежие (очистить и протереть салфеткой, не мыть) — 200 г, помидоры черри — 200 г, лук-шалот — 2 шт., петрушка — 40 г, оливковое масло — 6 ст. ложек, листья лайма — 4–8 шт., рыбный соус Sen Soy — 2 ст. ложки, сахар — 2 ч. ложки, лайм — 1 шт.

Нагреть масло в небольшой сковороде и добавить нарезанный кружочками чеснок. Обжарить несколько секунд. Достать ложкой и отложить в сторону. В это же масло добавить нарезанный лук-шалот. Выдержать до золотистого цвета, выловить и тоже отложить. Четыре перца чили помыть, очистить от семян, нарезать кольцами и обжаривать в этой же сковороде, пока они не потемнеют. Затем добавить ранее обжаренный чеснок и лук. Подержать еще минуту. Достать их из масла и обсушить на бумажном полотенце. Убрать с плиты сковороду, но масло не выливать. В кухонном комбайне или кофемолке размолоть сухие креветки, обжаренные кольца перца чили, чеснок, лук. Размолоть все вместе до образования однородной массы. Переложить в сковороду с маслом и обжарить несколько секунд. Добавить 1 ст. ложку рыбного соуса и сахар. Кусочек имбиря очистить и натереть на мелкой терке, добавить в сковороду, перемешать и тушить на медленном огне до однородной массы. Этот соус — основа для супа.

В большой кастрюле нагреть овощной бульон. (Для наваристости можно поварить в бульоне очищенные и промытые панцири и головы креветок.) Бульон не нужно солить. Добавить листья лайма, лимонное сорго (можно заменить цедрой одного лайма), оставшийся имбирь и 2 ст. ложки приготовленного соуса.

Очищенные креветки и шиитаке варить в бульоне 3–4 мин. Добавить 1 ст. ложку рыбного соуса, перец чили, сахар, сок лайма. Варить около 3 мин. Листья лайма можно вынуть. Влить кокосовое молоко и проварить еще 2 мин. Добавить нарезанные помидоры черри. Разлить по тарелкам и сразу же подавать.

Каннеллони со шпинатом
(На три-четыре порции)

Шпинат — 500 г, каннеллони (итальянское макаронное изделие в виде трубочек диаметром примерно 2–3 см и длиной около 10 см) — 300 г, томаты в собственном соку — 200 г, чеснок — 1 зубчик, оливковое масло — 1 ст. ложка, соль, перец, мускатный орех — по вкусу.

Шпинат вымыть, обсушить, крупно порубить. Посолить, поперчить, приправить мускатным орехом. Наполнить каннеллони шпинатом и выложить на противень. Также начинкой для каннеллони могут служить сыр тофу, редис, помидоры, морковь, лук, сельдерей или шпинат в сочетании с тофу. Духовку разогреть до 200 °C. Помидоры размять вилкой. Чеснок измельчить и вместе с помидорами обжаривать на разогретом оливковом масле 5 мин.

Затем выложить их поверх каннеллони и запекать 30 мин. в духовке.

ഇ УЖИН ര

Салат «Оранжевый»
(На четыре порции)

Морковь — 3–4 шт., грецкие орехи — горстка, постное масло — 2 ст. ложки, листья мяты, сок лимона, сахар — по вкусу.

Обдать морковь горячей водой, чтобы легче было чистить, высушить. Очищенную морковь нарезать соломкой. Орехи очистить от скорлупы, измельчить. Соединить морковь и орехи.

Добавить масло, лимонный сок. Перемешать. Украсить листьями мяты.

Рис пилав с грибами
(На четыре порции)

Рис — 500 г, лук репчатый — 2 шт., овощной бульон (см. стр. 18) — 1 л, оливковое масло — 200 мл, шампиньоны — 2 упаковки, букет гарни — 2 пакетика, соль, перец — по вкусу.

Нагреть оливковое масло в глубокой кастрюле. Лук помыть, порезать мелкими кубиками и тушить до мягкости. Засыпать рис, мешать до потери клейкости. Приправить букетом гарни, солью и перцем. Залить кипящим бульоном, довести до кипения. Накрыть промасленной бумагой кастрюлю и поставить ее в духовку, нагретую до 180 °C, на 18 мин. Обжарить грибы на оливковом масле. Смешать с рисом пилав.

ВТОРНИК

ൔ ЗАВТРАК ൘

Икра свекольная
(На четыре порции)

Лук репчатый — 1 шт., морковь — 1 шт., свёкла — 3—4 шт., постное масло — 3—4 ст. ложки, томатная паста — ½ стакана, соль, хлеб или хлебцы.

Лук мелко нарезать, морковь натереть на крупной терке. Все обжарить на постном масле до золотистого цвета, можно добавить в масло немного сахарного песка. После добавить натертую на терке свежую свёклу. За 5 мин. до готовности добавить соль по вкусу и томатную пасту. Подавать с хлебом или хлебцами.

Постный штрудель со шпинатом
(На восемь порций)

Тесто

Мука — 2 стакана с верхом, соль — на кончике ножа, вода — ¼ стакана, оливковое масло — 3 ст. ложки.

Замесить пресное тесто, раскатать в тонкий прямоугольный пласт (чем тоньше, тем лучше), начинку выложить на тесто, в середину положить сыр тофу в соусе, свернуть рулетом, смазать маслом верх, поставить в разогретый до 200 °C духовой шкаф на 20 мин.

Начинка

Чеснок — 2 зубчика, лук репчатый — 1 шт., шпинат свежий или мороженый — 500 г, оливковое масло — 7 ст. ложек, кедровые орехи — 50 г, сыр тофу — 100 г, соевый соус — 50 г.

Измельчить чеснок и лук, обжарить на масле с добавлением кедровых орешков и мелко нарезанного шпината.

Тушить около 5 мин., снять с огня, остудить. Соевый соус смешать с мелко нарезанным сыром тофу.

ઋ ОБЕД ଔ

Салат «Таббуле» из проса
(На четыре порции)

Просо — 400 г, овощной бульон (см. стр. 18) — 1 л, огурцы — 2–4 шт., помидоры — 6 шт., оливковое масло — 4 ст. ложки, зеленый лук — 2 пучка, петрушка — 2 пучка, мята — 2 пучка, лимонный сок, соль, черный молотый перец — по вкусу.

Огурцы очистить от кожуры и семян, нарезать маленькими квадратиками. Также нарезать помидоры и смешать с огурцами. Просо выложить на сковороду и прокалить. Бульон довести до кипения и всыпать просо, дать закипеть, затем уменьшить огонь и варить около 20 мин. Снять с плиты, выложить просо в блюдо и дать постоять. Зеленый лук вместе с петрушкой и мятой измельчить и выложить в блюдо с просом, перемешать. Заправить салат маслом, лимонным соком, посолить и поперчить.

Суп вьетнамский с грибами и креветками
(На четыре порции)

Овощной бульон (см. стр. 18) — 2 л, креветки — 800 г, шампиньоны — 500 г, кольраби или кочерыжки белокочанной капусты — 400 г, замороженный зеленый горошек — 200 г, лимонный сок — 4 ст. ложки, корень имбиря — 2 см, рыбный соус Sen Soy — 4 ч. ложки, зеленый лук — 2 пера, кинза — 2 небольших пучка, соль, перец — по вкусу.

Овощной бульон посолить, поперчить и довести до кипения. Добавить нарезанные шампиньоны, кольраби и зеленый горошек (опустить в воду в замороженном виде, чтобы сохранить полезные свойства), нарезанный или натертый имбирь. Варить 5 мин. В конце добавить предварительно очищенные и отваренные креветки, мелко порубленную зелень, лимонный сок. Накрыть крышкой, снять с огня и дать настояться 5 мин. Разлить по тарелкам, добавить рыбный соус.

Фасоль с овощами

(На три-четыре порции)

Вода — 2 л, пестрая или красная фасоль — 500 г, мука — 2 ст. ложки, лук репчатый — 4 шт., лук-порей (белая часть стебля) — 2 шт., листовой сельдерей — 4 веточки, постное масло — 100 мл, аджика — 2 ст. ложки, чеснок — 4 зубчика, грецкие орехи — 100 г, свежая зелень кинзы — несколько веточек, соль — по вкусу, гранатовые зерна — для украшения.

Фасоль замочить в воде. Когда она разбухнет, промыть, залить холодной водой и довести до кипения. После закипания подождать 2–3 мин., слить и промыть, затем залить фасоль водой в соотношении 1:4. Посолить и варить на медленном огне под крышкой 2–2,5 ч., периодически добавляя воду. За 10–15 мин. до конца варки добавить мелко нарезанные лук-порей, репчатый лук и сельдерей. Когда фасоль сварится, слить воду в емкость. Разделить фасоль на две части: одну размять или измельчить в блендере, подливая немного фасолевого бульона, потом смешать пюре с оставшейся фасолью. Выдавить чеснок. Добавить аджику и мелко нарезанную свежую кинзу. Все перемешать. Поставить на слабый огонь на 3–5 мин. Можно добавить обжаренный до мягкости на постном масле лук, перемолотые грецкие орехи. Украсить гранатовыми зернами. Блюдо подают теплым.

ઐ УЖИН ര

Креветочные чипсы

(На четыре порции)

Полуфабрикат для чипсов из креветок — 1 упаковка, постное масло — 100 мл.

Опустить в кипящее масло чипсы и жарить их, помешивая, около минуты. Вынуть после всплытия на поверхность. Обсушить бумажным полотенцем.

Овощной террин
(На три-четыре порции)

Зеленый болгарский перец — 1 шт., красный болгарский перец — 1 шт., помидоры — 8 шт., овощной бульон (см. стр. 18) — 900 мл, постное масло — 2 ст. ложки, лук репчатый — 1 шт., чеснок — 1 зубчик, короткозерновой рис (арборио) — 300 г, свежий шпинат — 50 г, соль, черный молотый перец — по вкусу.

Перцы помыть, опустить на 2—3 мин. в подсоленный кипяток, чтобы не горчили, затем разрезать на 4 части, удалить сердцевину. Помидоры вымыть, сделать на каждом крестообразные надрезы и вместе с перцами выложить на противень. Запекать в духовке при температуре 180 °C в течение 20 мин. Переложить перцы и помидоры в бумажный пакет на 10 мин. Вынуть из пакета и снять с них кожицу. Порезать помидоры кольцами, перцы — дольками. Лук и чеснок очистить, мелко нарезать. На разогретом постном масле обжарить лук в течение 3 мин., после добавить чеснок и обжаривать еще около 1 мин. В сковороду с луком и чесноком добавить рис, 300 мл воды и готовить, помешивая, до полного выпаривания воды. Подогретый овощной бульон вливать небольшими порциями в сковороду и варить на слабом огне около получаса, пока рис не впитает всю жидкость. Шпинат вымыть, опустить в кипящую воду на 1 мин. и откинуть на дуршлаг.

Форму для запекания застелить пищевой пленкой. Выложить в нее слоями: половину помидоров, половину шпината, половину риса и перец полностью. Каждый слой посолить и поперчить. Следующим слоем положить оставшиеся помидоры, затем шпинат и рис. Закрыть террин пленкой, сверху положить груз и убрать в холодильник на 4 ч.

Подавать горячим.

СРЕДА

❧ ЗАВТРАК ❧

Арабский салат

(На четыре порции)

Бананы — 2 шт., грейпфруты — 2 шт., яблоки — 2 шт., киви — 2 шт., ананас — 1 шт., орехи — 100 г, лимонный сок — по вкусу.

Все ингредиенты помыть, очистить, порезать и перемешать. Заправить лимонным соком. Чтобы из лимона получить больше сока, нужно подержать его 5 мин. в горячей воде. Уложить в салатницу, украсить орехами.

Цукини с начинками

(На четыре порции)

Цукини — 4 шт.

Первая начинка

Помидоры — 2 шт., лук-шалот — 2 шт., чеснок — 3 зубчика, тимьян — 5–6 веточек, зеленый базилик — 1 веточка, оливковое масло — 3 ст. ложки.

Вторая начинка

Манго — 50 г, болгарский перец — 50 г, золотистый изюм — 30 г, яблоки — 30 г, мед — 1 ч. ложка, карри — ¼ ч. ложки, оливковое масло — 3 ст. ложки.

У каждого цукини срезать основание и верхушку, затем кабачок разрезать поперек пополам и наискосок. Удалить сердцевину. Помидоры нарубить и обжарить с рубленым шалотом и чесноком. Добавить мелко нарезанные базилик и тимьян. Приправить, перемешать. Фаршем наполнить «бочонок»-цукини. Перед подачей запекать в духовке 7–10 мин. при температуре 180 °C. Манго и болгарский перец нарезать кубиками и обжарить. Добавить предварительно замоченный изюм, карри, мед и яблоко, порезанное мелкими дольками. Приправить, начинить второй «бочонок» и таким же образом запечь в духовке.

ОБЕД

Свекольно-морковный салат

(На четыре порции)

Свёкла — 500 г, морковь — 250 г, зеленый лук — 1 пучок, соленый арахис — 50 г, мед — 1 ч. ложка, постное масло — 100 мл, молотый имбирь — щепотка, перец чили — щепотка.

Свёклу и морковь вымыть, очистить, натереть на крупной терке и сложить в миску. Зеленый лук вымыть, обсушить и мелко нарезать. Арахис измельчить в крупную крошку. Добавить в салат лук и орехи. Перемешать, полить заправкой. Для приготовления заправки смешать мед, перец чили, имбирь, масло.

Суп в тыкве

(На четыре порции)

Тыква большого размера — 1 шт., грибы — 400 г, лук репчатый — 2 шт., болгарский перец — 2 шт., лук-порей — 4 шт., петрушка — 80 г, помидоры — 4 шт., вода — 900 мл, соль, перец — по вкусу.

Тыкву вымыть и срезать с нее крышечку. Грибы отварить. Вынуть мякоть из тыквы, смешать с мелко порезанными овощами и отварить. Растереть в пюре грибы, овощи, мякоть тыквы, добавить 450 мл воды, соль, перец. Налить суп в тыкву и поставить в духовку, разогретую до 180 °C, на 5 мин. Подать, украсив петрушкой и накрыв крышкой из тыквы.

Цимес картофельный

(На три-четыре порции)

Картофель среднего размера — 8–10 шт., чернослив без косточек — 10–12 шт., сахар — 2 ст. ложки, крахмал — 1 ст.

ложка, постное масло — 3 ст. ложки, изюм — 100 г, корица —
½ ч. ложки, соль — по вкусу.

Картофель очистить, разрезать на половинки. Положить в кастрюлю, добавить постное масло. Промыть изюм и чернослив, высыпать корицу и сахар. Все залить горячей водой, чтобы она покрыла продукты. Тушить до полуготовности в закрытой посуде. Крахмал развести холодной водой и добавить в кастрюлю, посолить. Варить до готовности картофеля.

≈ УЖИН ≈

Морковный салат под соевым соусом
(На четыре порции)

Морковь — 2 шт., соевый соус — 4 ст. ложки, чеснок — 4 зубчика, кукурузное масло — 6 ст. ложек, красный молотый перец, сахар, уксус — по вкусу.

Морковь помыть, порезать тонкими брусочками и положить в глубокую тарелку. Добавить соевый соус, красный перец, чеснок. Кукурузное масло вскипятить и залить им морковь. Добавить сахар и немного уксуса.

Постный наси-горенг (плов по-малайски)
(На три порции)

Рис — 130 г, морковь — 1 шт., белокочанная капуста — 150 г, проростки сои — 100 г, очищенные креветки — 100 г, соевый соус — 3 ст. ложки, постное масло — 2 ст. ложки, аджика — 2 ч. ложки, чеснок — 1 зубчик, зеленый лук — 2 пера, болгарский перец — 1 шт., соль, перец — по вкусу.

Для того чтобы рис не слипся при варке, его следует промыть несколько раз, пока вода не станет прозрачной. Добавить рис в кипящую подсоленную воду в соотношении 1:2. Зеленый лук нарезать кольцами, морковь и капусту — тонкой соломкой, сладкий перец — мелкими кубиками. Соевые проростки выложить в дуршлаг и промыть в холодной воде. Чеснок очистить и мелко порубить. Масло разогреть и обжарить в нем креветки, постоянно помешивая. Добавить зеленый лук и чеснок. Затем выложить морковь, сладкий перец и капусту. Приправить соевым соусом, аджикой и солью. Тушить, непрерывно помешивая, 6 мин. Овощи довести до готовности, но так, чтобы они сохранили легкий хруст. Рис откинуть на дуршлаг, дать стечь воде. Вместе с соевыми ростками добавить в овощную смесь и жарить еще 2 мин.

Приправить наси-горенг специями и подать на стол вместе с креветочными чипсами.

Специи

Перец чили — 1 шт., чеснок — 2 зубчика, лук-шалот — 1 шт., куркума — 1 ч. ложка.

Смешать измельченный чеснок, нарезанный лук и перец чили, добавить куркуму. Специи размолоть в блендере и обжарить на большом огне на 1 ст. ложке постного масла в течение 1 мин.

ЧЕТВЕРГ

✄ ЗАВТРАК ✄

Фасоль по-армавирски
(На четыре порции)

Фасоль — 400 г, отвар фасоли или вода — 400 мл, лук репчатый — 200 г, корни петрушки — 40 г, постное масло — 12 ст. ложки, томатная паста 12%-ная — 80 г, соль — по вкусу.

Перебрать фасоль, промыть в холодной воде, замочить на 8—12 ч., чтобы избавиться от бобового вкуса. После этого воду слить и варить фасоль в новой воде. Лук пассеровать, добавить томатную пасту и пассеровать еще 5–7 мин. Соединить с отваром фасоли или с водой и варить 3–5 мин. Фасоль заправить приготовленным соусом, добавить зелень.

❧ ОБЕД ☙

Свёколка

(На четыре порции)

Свёкла — 400 г, чеснок — 3–4 зубчика, постное масло — 3 ст. ложки, зелень, черный молотый перец, соль — по вкусу.

Свёклу помыть, очистить, натереть на крупной терке, потушить в масле, добавить перец. Натереть чеснок, смешать со свёклой. Также можно натереть чеснок в салатницу, чтобы все блюдо приобрело чесночный запах. Подать с зеленью.

Суп-пюре из авокадо и крабов

(На четыре порции)

Овощной бульон (см. стр. 18) — 2 л, авокадо — 2 шт., крабовое мясо — 400 г, постное масло — 4 ст. ложки, лук репчатый — 2 шт., мука — 4 ст. ложки, зелень кинзы — 4 ст. ложки, укроп — 2 ст. ложки, устричный сок, сок лайма, лимонный сок, соль, перец — по вкусу.

В глубокой сковороде обжарить на постном масле мелко нарезанный лук до мягкости. Всыпать муку, размешать и обжаривать еще 1 мин. Добавить бульон с устричным соком, довести до кипения, постоянно помешивая, затем уменьшить огонь и варить, помешивая, 5 мин. до легкого загустения. Авокадо разрезать пополам, удалить косточки и кожуру, нарезать мякоть кубиками и сбрызнуть лимонным соком. В блендере измельчить авокадо, оставив немного для украшения, кинзу и укроп, добавить небольшими порциями овощно-устричный бульон. В последнюю очередь добавить сок лайма и перелить суп в кастрюлю, туда же положить крабовое мясо и варить еще около 3 мин. Оставшимися кубиками авокадо и кинзой можно украсить суп перед подачей.

Блюдо с закусками

(На четыре порции)

Баклажаны — 1 большой или 2 небольших плода, красный болгарский перец — 1 шт., желтый болгарский перец — 1 шт., чеснок — 3 зубчика, постное масло — 6 ст. ложек, бальзамический уксус — 7 ст. ложек, спаржа — 200 г, картофель (предварительно отварить) — 200 г, цукини — 1 шт., лук репчатый — 1 шт., постные сливки (см. стр. 25) — 150 мл, мускатный орех, черный молотый перец, соль — по вкусу.

Перец бланшировать, очистить, нарезать дольками. Зубчик чеснока порубить и смешать с 2 ст. ложками масла, солью, молотым черным перцем. Залить полученной смесью перец. Выложить на блюдо. Баклажаны нарезать ломтиками, посолить. Через полчаса обсушить. Обжарить в 2 ст. ложках постного масла. Зубчики чеснока измельчить, смешать с уксусом, солью, молотым черным перцем. Мариновать баклажаны 3 ч. в полученной смеси. Выложить на блюдо к перцам. Спаржу отварить, выложить на блюдо, где уже находятся перцы и баклажаны. Картофель отварить и вместе с цукини нарезать кружочками, лук — кубиками. Овощи обжарить в 2 ст. ложках постного масла. Перемешать постные сливки, соль, молотый черный перец и мускатный орех, залить овощи. Через 20 мин. блюдо подать с маринованными овощами.

ஐ УЖИН ௸

Салат с маслинами

(На четыре порции)

Помидоры — 4 шт., замороженная стручковая фасоль — 200 г, маслины — 100 г, соус винигер.

Отварить фасоль в подсоленной воде. Помидоры порезать крупными кубиками. Смешать фасоль, помидоры, добавить маслины. Заправить соусом винигер.

Соус винигер

Зелень (петрушка, базилик, кинза, орегано) — 2 г, лук репчатый — 10 г, оливковое масло Extra Virgin — 30 г, болгарский перец — 15 г, винный уксус — 15 г, сахар, соль, специи — по вкусу.

Все ингредиенты положить в банку с закрывающейся крышкой и взболтать. Получится желтоватый жидкий соус с приятными запахом и кислинкой.

Овощная мусака с луком-пореем
(На четыре порции)

Картофель — 8 шт., лук-порей — 200 г, панировочные сухари — 20 г, постное масло — 4 ст. ложки.

Лук-порей мелко нашинковать и жарить на масле до мягкости. Картофель очистить и отварить, а затем разрезать. Картофель размять, разделить на две равные части. Одну часть размятой картошки положить на смазанный маслом и посыпанный панировочными сухарями противень. Распределить на ней лук-порей и покрыть второй частью размятой картошки. Сверху посыпать панировочными сухарями, смазать маслом и запекать в духовке при температуре 180 °C до образования корочки примерно 30 мин.

ПЯТНИЦА

❧ ЗАВТРАК ❧

Гречневые оладьи с фруктовым соусом
(На четыре порции)

Гречневая мука — 1 стакан, мука из коричневого риса — ⅓ стакана, кокосовое молоко — ¾ стакана, рапсовое масло — 2 ст.

ложки, растительное масло — 2 ст. ложки, коричневый сахар — 2 ст. ложки, сода — ½ ч. ложки, соль — ½ ч. ложки, корица — ½ ч. ложки, постное масло.

Взбить кокосовое молоко и рапсовое масло и добавить в емкость к гречневой и рисовой муке, коричневому сахару, соде, соли и корице. Перемешать до однородной массы. Разогреть сковороду, смазанную постным маслом. Выкладывать тесто по 2 ст. ложки, формируя оладьи. Жарить 3 мин. с каждой стороны до золотистого цвета. Выложить на тарелку и накрыть, чтобы не остыли. Подавать с фруктовым соусом.

Фруктовый соус

Яблоки — 3 шт., груши или сливы — 3 шт., натуральный кленовый сироп — ⅓ стакана, постное масло.

Фрукты помыть, очистить. Удалить семечки и косточки, нарезать ломтиками. Постное масло разогреть на сковороде с антипригарным покрытием. Выложить яблоки и готовить 5 мин., переворачивая. Добавить кленовый сироп и убавить огонь, готовить еще 5 мин.

ഔ ОБЕД ෨

Салат из овощей с апельсиново-кунжутным соусом
(На четыре порции)

Апельсиновый сок — 60 мл, рисовый уксус — 2 ст. ложки, свежий имбирь — 1 ст. ложка, чеснок — 1 зубчик, соль — ½ ч. ложки, кунжутное масло — 2 ст. ложки, китайская капуста — 1 кочан, морковь — 3 шт., лук-порей — 1 пучок, семена кунжута — 2 ст. ложки.

Натереть имбирь и чеснок. Семена кунжута обжарить. В отдельной глубокой емкости смешать апельсиновый сок, уксус, имбирь, чеснок и соль. Добавить масло и взбить. Нашинковать китайскую капусту. Морковь нарезать соломкой, лук-порей — тонкими ломтиками. Капусту, морковь, лук-порей положить в емкость и все перемешать. Дать настояться 30 мин. и поместить в холодильник на 2 ч. Перед подачей посыпать семенами кунжута.

Гаспачо из сладких помидоров с салатом из овощей
(На четыре порции)

Помидоры — 300 г, оливковое масло — 8 г, красный винный уксус — 2 ч. ложки, томатный сок (желательно Granini) — 100 мл, соус Tabasco — 2 капли, крабовое мясо — 40 г, огурцы — 100 г, помидоры — 100 г, оливковое масло — 10–20 г, кубики льда — 6–8 шт., чесночные хлебцы, соль — по вкусу.

Огурцы и помидоры помыть, очистить от семян и кожицы. У томатов удалить плодоножку, сделать крестообразный надрез с другой стороны, положить в кипящую воду и бланшировать. Снять с огня, опустить в холодную воду, очистить от кожицы, разрезать на 4 части и удалить семена. Вместе с огурцами нарезать кубиками, смешать, посолить, поперчить и заправить оливковым маслом. Добавить крабовое мясо. Для приготовления гаспачо смешать в блендере помидор, уксус, соус Tabasco и томатный сок. Добавить оливковое масло. Выложить салат на середину тарелки, по краям залить супом, сбрызнуть оливковым маслом, сверху на салат положить крышечку от помидора. Подавать с кубиками льда и чесночными хлебцами.

Грибная солянка
(На четыре порции)

Грибы — 300 г, морковь — 1 шт., соленый огурец — 1 шт., лук репчатый — 1 шт., картофель — 3–4 шт., лимон — 1 шт., маслины — 8 шт., томатная паста — 2 ст. ложки, постное масло — 4 ст. ложки, свежая зелень — 20 г, соль — 1 ч. ложка, черный молотый перец — 1–2 щепотки, лавровый лист — по вкусу

Грибы отварить, нарезать ломтиками и обжарить в масле. Морковь помыть, почистить и натереть на крупной терке

Лук очистить, нарезать кубиками. Пассеровать лук с морковью до мягкости моркови. Соленый огурец нарезать кубиками. Картошку помыть, очистить, нарезать кубиками. Поставить на огонь кастрюлю, налить 2 л воды и варить картофель до готовности. Выложить в сковороду к луку с морковью обжаренные грибы, добавить нарезанные огурцы и полстакана воды. Тушить на маленьком огне 5 мин., затем добавить томатную пасту и тушить еще 3—4 мин. Затем выложить содержимое сковороды в кастрюлю с картошкой, посолить, добавить перец и дать покипеть 5—7 мин. Перед подачей в тарелки добавить нарезанную зелень, ломтики лимона и маслины.

ഇ УЖИН ഩ

Рагу
(На четыре порции)

Зеленая фасоль — 600 г, шампиньоны — 500 г, помидоры — 300 г, морковь — 200 г, лук репчатый — 200 г, чеснок — 1 зубчик, соль, черный молотый перец — по вкусу.

Отобрать стручки фасоли светло-зеленого цвета, изогнутой формы, хрустящие и плотные, но которые легко ломаются пополам. Шампиньоны очистить и нарезать. Лук и чеснок измельчить. Мелко нарезать морковь и помидоры. Все сложить в кастрюлю и залить водой. Вода должна полностью покрывать фасоль, примерно из расчета 2 стакана воды на 1 стакан фасоли. Посолить, поперчить, закрыть крышкой и тушить 10 мин.

Постная коврижка
(На шесть — восемь порций)

Мука — 2½–3 стакана, чайная заварка — 1 стакан, кофе растворимый — 1 ч. ложка, постное масло — ½ стакана, сахар — 1 стакан, варенье — 3 ст. ложки, чернослив — 4–5 шт., курага — 4—5 шт., грецкие орехи — 2 ст. ложки, сода — 1 ч. ложка, цедра одного лимона, лимонный сок — 1 ст. ложка.

В миску с мукой всыпать сахар, влить масло, положить варенье. В горячую крепкую чайную заварку добавить кофе и тоже влить в миску. Замешивая тесто, следует добавлять жидкость к муке постепенно, постоянно перемешивая. Орехи обжарить и растолочь, чернослив, курагу мелко нарезать и вместе с натертой на терке цедрой лимона добавить в тесто. Соду погасить соком лимона и тоже добавить. Продолжать вымешивать тесто (оно не должно быть слишком крутым), пока оно не приобретет эластичность и не перестанет липнуть к рукам. Противень смазать маслом, выложить на него тесто ровным слоем, поставить в разогретую до 180—200 °С духовку и выпекать 40 мин.

СУББОТА

ஐ ЗАВТРАК ൞

Салат капустный с зернами граната
(На четыре порции)

Белокочанная капуста — 200 г, изюм — 50 г, зерна граната — 30 г, грецкие орехи — 50 г, постный майонез (см. стр. 139) — 80 г, зелень, соль — по вкусу.

Свежую капусту нашинковать соломкой, посыпать солью, добавить промытый и подсушенный изюм, мелко измельченные орехи, гранатовые зерна, постный майонез и перемешать. В салатнице украсить зеленью.

Сладкая ячневая каша с маком
(На четыре порции)

Крупа ячневая — 400 г, мак (семена) — 140 г, вода — 800 мл, варенье — по вкусу.

Ячневую крупу промыть и начать варить в большом количестве воды на умеренном огне, снимая пену. Когда крупа начнет выделять слизь, лишнюю воду слить и варить, помешивая, до мягкости крупы и загустения. Подготовить мак: залить его крутым кипятком, дать распариться, через 5 мин. воду слить, мак промыть, вновь залить крутым кипятком, слить его, как только начнут появляться капельки жира на поверхности воды. Затем распаренный мак растереть, добавляя немного кипятка. Подготовленный мак смешать с загустевшей, размягченной ячневой кашей. Можно подать с вареньем.

ОБЕД

Салат из стручковой фасоли
(На три-четыре порции)

Красный лук — ½ шт., мороженая стручковая фасоль — 2 стакана, оливковое масло — 1 ст. ложка, яблочный уксус белый — 1 ст. ложка, соль, перец, сахар — по вкусу.

Фасоль отварить и обдать холодной водой, чтобы она стала нежнее. Лук нарезать тонкими полукольцами. Развести в уксусе щепотку сахара и замариновать в растворе лук на 10 мин. Затем смешать фасоль с луком и уксусом, в котором он мариновался. Поперчить, посолить, заправить маслом.

Постные щи
(На четыре порции)

Картофель — 3–4 шт., белокочанная капуста — 200 г, лук репчатый — 1 шт., морковь — 1 шт., томатная паста — 2–3 ст. ложки, консервированная фасоль — 425 г, постное масло — 2–3 ст. ложки, чеснок — 2–3 зубчика, укроп, соль — по вкусу.

Вскипятить воду для супа в кастрюле. Картофель очистить нарезать небольшими кубиками. Белокочанную капусту тонко нашинковать. В закипевшую воду положить картофель, капусту. Дать повторно закипеть, накрыть кастрюлю крышкой и варить бульон 15—20 мин. Разогреть сковороду с маслом, обжарить мелко нарезанный лук до полупрозрачности (около 3 мин.), а затем добавить натертую на средней терке морковь. В сковороду выложить томатную пасту и долить пару ложек горячего бульона.

Можно добавить в заправку перец чили. Тушить морковно-луковую смесь под крышкой около 10 мин. Затем переложить ее в бульон. Постные щи приобретут насыщенный оранжево-красный оттенок. Довести их до кипения, варить 2—3 мин. на слабом огне, посолить. Консервированную фасоль откинуть на дуршлаг и добавить ее в бульон. Дать закипеть. Добавить нарезанную зелень и измельченные чесночные дольки. Снять щи с огня, накрыть крышкой и дать немного настояться.

Креветки в желе из чая с чечевицей
(На четыре порции)

Чечевица — 150 г, агар-агар — 12 г, чай — 2 ч. ложки, сок лимона — 2 ч. ложки, имбирь — щепотка, вареные креветки — 24 шт., кипяток — 500 мл, кокосовое молоко — 200 мл, укроп — 2—4 веточки, уксус — 1 ст. ложка, листовой салат, сахар, соль, перец — по вкусу.

Взять проросшую чечевицу. Агар-агар размочить. Чай залить кипятком, настоять, процедить. Агар-агар отжать, растворить в чае, приправить лимонным соком, солью, перцем, имбирем. Укроп измельчить.

Круглые формочки наполнить чайным раствором, но не полностью. Дать застыть. На желе положить укроп и креветки, долить раствор. Охлаждать 3 ч. Листья салата и чечевицу разложить на 4 тарелки.

Формочки опустить на короткое время в горячую воду, затем желе опрокинуть на тарелки. Смешать кокосовое молоко и уксус, приправить солью, перцем и сахаром. Полить желе соусом.

☙ УЖИН ❧

Салат из маринованных грибов с яблоками
(На четыре порции)

Маринованные грибы — 300 г, яблоки — 100 г, лук репчатый — 50 г, постное масло — 60 г, укроп, черный молотый перец, соль, сахар — по вкусу.

Грибы нарезать, яблоки натереть на крупной терке, лук мелко порубить. Чтобы яблоки не темнели и не потеряли своих полезных свойств, их следует залить небольшим количеством холодной воды или 2%-ным раствором соли (2 г соли растворить в 100 мл волы) и оставить не более чем на 3 мин. Затем все продукты соединить, посолить, поперчить, посластить, заправить постным маслом, выложить в салатницу. Украсить кольцами лука и мелко нарезанной зеленью укропа.

Капуста фаршированная
(На четыре — шесть порций)

Белокочанная капуста — 1,5 кг, помидоры — 2 шт., лук репчатый — 2 шт., баклажаны — 2 шт., морковь — 2 шт., кабачок — 1 шт., болгарский перец — 1 шт., постное масло, соль — по вкусу.

Капуста (белокочанная, краснокочанная и цветная) часто подвергается нападению гусениц, для того чтобы личинки насекомых всплыли на поверхность, ее следует подержать 10–15 мин. в подсоленной или подкисленной уксусом воде, после чего хорошо промыть под струей холодной воды.

Удалить верхние листья и сердцевину. Опустить капусту в кипящую воду. Проварить немного, чтобы она стала мягкой и листья открепились.

На помидорах сделать крестообразный надрез, опустить их в кипяток на 20 сек., очистить от кожицы и нарезать мелкими кубиками.

Репчатый лук мелко нарезать, морковь натереть на крупной терке. Кабачок и баклажаны нарезать кубиками, обжарить на постном масле. К ним добавить лук и морковь. У сладкого перца удалить плодоножку с семенами и нарезать кубиками. Добавить к овощам. Нарезанные помидоры подсолить и добавить в сковороду. Тушить на медленном огне 10 мин. Овощной фарш готов. Срезать черешки на листьях капусты.

Глубокую миску застелить крест-накрест пищевой фольгой. Уложить на нее крупные капустные листы, поместить на них начинку и разровнять.

Сверху фарша выложить листья чуть меньшего размера, и так повторять до тех пор, пока листья не закончатся; последний слой должен быть из фарша.

Закрыть середину концами листьев последнего ряда, накрыть одним листом и смазать фаршем, также повторить до последнего ряда.

Когда капуста полностью будет нафарширована, края фольги нужно соединить и закрепить, слегка придавливая форму капусты.

Аккуратно освободить капусту от фольги и выложить на противень, который предварительно нужно смазать растительным маслом.

Запекать в духовке, разогретой до 220 °C, около 20 мин. Достать капусту из духовки и смазать поверхность соусом. Снова поместить капусту в духовку и запекать до образования корочки от соуса.

Соус

Постное масло — 1 ст. ложка, томатный сок — 1 стакан, соль, пряности (петрушка, базилик, тимьян, майоран) — по вкусу.

Разогреть на сковороде 1 ст. ложку постного масла, вылить томатный сок, приправить специями и посолить. Дать немного выпариться.

ВОСКРЕСЕНЬЕ

☙ ЗАВТРАК ❧

Паштет из фасоли
(На четыре порции)

Темно-красная фасоль — 500 г, грецкие орехи — 2–3 горстки, лук репчатый — 150 г, масло грецкого ореха — 1 ст. ложка, чеснок — 2–3 зубчика, черный молотый перец, красный молотый перец, хмели-сунели.

Фасоль промыть горячей водой, залить холодной и поставить на огонь примерно на 1 ч. 30 мин. В конце варки добавить соль. Репчатый лук нарезать и обжарить на растительном масле до золотистого цвета. Дважды пропустить орехи через мясорубку. В глубокой посуде смешать фасоль с луком и орехами, выдавить чеснок, можно добавить фасолевый отвар, взбить блендером. Приправить специями. Подать с хлебцами или хлебом.

☙ ОБЕД ❧

Чесночный салат
(На три-четыре порции)

Малосольные огурцы — 2–3 шт., картофель — 3 шт., яблоки — 2 шт., петрушка — 1 пучок, чеснок — 2 зубчика, оливковое масло — 50 г, черный молотый перец — по вкусу.

Картофель отварить, остудить. Яблоки очистить от косточек. Зелень порубить. Огурцы и картошку нарезать кольцами, яблоки — тонкими дольками. Все перемешать и разложить по тарелкам. Сверху поперчить. Чеснок почистить, нарезать небольшими кусочками и обжарить на оливковом масле. Посыпать поджаренным чесноком каждую порцию салата и полить оливковым маслом. Подавать, не перемешивая.

Суп-пюре с грибами
(На четыре порции)

Свежие грибы — 500 г, морковь — 1 шт., картофель — 4 шт., лук репчатый — 1 шт., мука — 2 ст. ложки, постное масло — 50 мл, постные сливки (см. стр. 25) — 100 мл, корень петрушки, соль, черный молотый перец, свежая зелень — по вкусу.

Картофель и грибы помыть и отварить по отдельности. Ножки у грибов отрезать и пропустить через мясорубку. Морковь, корень петрушки и лук спассеровать. Затем припустить их с маслом и взбить в блендере вместе со сваренным картофелем и грибным фаршем. Шляпки грибов нарезать ломтиками.

Все положить в кастрюлю, залить 700 мл воды и вскипятить. Прокалить муку на сковороде до пожелтения, развести с постными сливками.

Заправить полученным соусом суп, размешать его, добавить зелень.

Лингвини с креветками и свежей зеленью
(На четыре порции)

Лингвини (классические итальянские макаронные изделия крупного формата) — 400 г, светлое оливковое масло — 5 ст. ложек, чеснок — 3 зубчика, королевские креветки очищенные — 16 шт., помидоры черри — 1 ветка, базилик — 12 листиков, лук-шнитт — 1 пучок, зелень петрушки — ½ стакана, сок половины лимона, морская соль, черный молотый перец — по вкусу.

В большой кастрюле вскипятить подсоленную воду. Положить лингвини и варить до степени аль денте (макароны должны остаться упругими и немного твердыми). Откинуть лингвини на дуршлаг и переложить назад в кастрюлю. Чеснок измельчить. Помидоры черри разрезать пополам. Листья базилика измельчить. Петрушку крупно порезать. Лук-шнитт порезать мелко.

Разогреть в сковороде масло на слабом огне, добавить чеснок, перемешать и обжарить креветки с обеих сторон до розового цвета. Затем положить помидоры и жарить 1 мин. Снять с огня. Добавить к лингвини смесь креветок с помидорами, заправить базиликом, петрушкой, луком-шниттом и соком лимона. Посолить и поперчить, перемешать.

☙ УЖИН ❧

Салат с хурмой
(На четыре порции)

Хурма — 4 шт., яблоки — 1 шт., лук репчатый — 1 шт., лимон — 1 шт., листья зеленого салата — по вкусу.

Хурму разрезать пополам и нарезать. Очистить яблоко от кожуры, удалить сердцевину и нарезать кружочками, лук нарезать кольцами. Разложить на блюдо листья салата и выложить на них хурму, затем яблоки и лук.

Залить салат лимонным соком и соусом, дать ему немного настояться.

Соус

Оливковое масло — 2 ст. ложки, винный уксус — 2 ст. ложки, соевый соус — 4 ст. ложки, сахар — 1 ч. ложка.

Все ингредиенты перемешать.

Запеканка из кабачков и грибов
(На четыре — шесть порций)

Кабачки — 1 кг, шампиньоны — 200 г, лук репчатый — 1 шт., мука — 5 ст. ложек, морковь — 2 шт., постное масло — 100 мл, петрушка, укроп, соль, черный молотый перец — по вкусу.

Кабачки вымыть. Один кабачок нарезать кружочками толщиной 1 см для украшения. Остальные натереть на крупной терке, отжать сок. Лук и морковь очистить, одну морковь натереть на мелкой терке, вторую нарезать кружками для украшения. Лук мелко нарезать.

Грибы очистить, вымыть и нарезать. Обжарить лук и грибы на постном масле. Дать немного остыть. Тертые кабачки и морковь перемешать.

Выложить лук с грибами в форму, смазанную постным маслом, сверху выложить кружки кабачков и моркови.

Запекать в духовке, разогретой до 180 °C, в течение 30—40 мин.

Готовую запеканку посыпать зеленью.

Седмица 3-я
Великого поста

ПОНЕДЕЛЬНИК

ᔣ ЗАВТРАК ᔤ

Кулебяка постная из сдобного теста
(На восемь порций)

Сдобное постное тесто

Мука пшеничная — 1 кг, сухие дрожжи — 1 пакетик, вода — 2½ стакана, постное масло — 5—6 ст. ложек, сахар — 3 ст. ложки, соль — 1 ч. ложка.

Растворить в теплой воде дрожжи. Высыпать сахар и соль, перемешать. Муку просеять и влить в нее дрожжевую смесь. Еще раз перемешать. Вымешивать тесто 10 мин., оно должно получиться эластичным и не тугим. Накрыть полотенцем и оставить в теплом месте на 1 ч. Когда тесто поднимется, обмять его и вымешивать еще 5 мин. Раскатать сдобное постное тесто и положить в него начинку, загнуть тесто сверху и смазать постным маслом. Кулебяку выложить на смазанный маслом противень и выпекать в духовке, разогретой до 180 °C, в течение 35—40 мин.

Начинка

Гречневая крупа или рис — 250 г, лук репчатый — 5 шт., яблоки — 10 шт., соль, перец, постное масло — по вкусу.

Отварить гречку или рис. Разогреть духовку до 200 °C. Помыть и очистить от кожуры луковицы, срезать верхушки и донышки так, чтобы они могли стоять, а затем поставить запекаться в духовку на 20—25 мин. После того как луковицы немного остынут, натереть на терке. Яблоки помыть, очистить, также натереть на терке. Перемешать начинку: лук, яблоки, гречку, добавить немного соли и перца.

ೞ ОБЕД ೦

Лобио красный
(На четыре порции)

Красная фасоль — 2 стакана, грецкие орехи — 1 стакан, лук репчатый — 1 шт., чеснок — 2 зубчика, соль, зелень кинзы, молотый красный перец, кориандр, хмели-сунели — по вкусу, постное масло — 50 мл.

Фасоль отварить до готовности, добавив соль в конце варки. После варки воду слить в отдельную посуду и отставить. Лук очистить, вымыть и нарезать кубиками. Фасоль измельчить в блендере до однородности и переложить полученную массу в кастрюлю. Добавить оставленную воду, пропущенные через мясорубку или растолченные в ступке грецкие орехи, обжаренный на постном масле репчатый лук, кориандр, немного красного перца. Очистить чеснок, раздавить и добавить в фасоль. Поставить на 10–15 мин. на слабый огонь. В конце варки добавить зелень кинзы. Переложить смесь в эмалированную посуду. Все специи смешать с лобио.

Суп грибной
(На три-четыре порции)

Сушеные грибы — 300 г, морковь — 4 шт., репа — 2 шт., лук репчатый — 4 шт., картофель — 4 шт., черешковый сельдерей — 4 стебля, гвоздика — 4 шт., постное масло — 100 г.

Нарезать репу, морковь, сельдерей брусочками, поместить в кастрюлю и варить 2 ч. Лук очистить и добавить целиком, воткнуть в него гвоздику. В конце варки вытащить лук. Отварить грибы в течение 5 ч. и слить бульон в отдельную чашку. Влить в овощи грибной бульон. Крупно нарезать картофель. Добавить в кастрюлю. Томить на медленном огне

20 мин. Грибы обжарить несколько минут на предварительно разогретом постном масле и добавить в кастрюлю.

Котлеты из каштанов

(На четыре порции)

Каштаны — 600 г, сушеные грибы — 200 г, лук репчатый — 4 шт., морковь — 4 шт., корень петрушки — 2 шт., мука — 2 ст. ложки, постные сливки (см. стр. 25) — 100 мл, уксус — 2 ст. ложки, сахар — 2 ч. ложки, соль, специи, панировочные сухари — по вкусу.

Промыть грибы, залить 2 л воды и оставить на 3—4 ч. Затем грибы нужно промыть еще раз и залить водой, в которой они настаивались. Варить без соли. Морковь помыть, почистить, порезать. Корень петрушки и лук также промыть, почистить и порезать. Когда бульон закипит, добавить морковь, лук, корень петрушки. Варить на медленном огне 40 мин., снимая пену. За 10 мин. до окончания варки добавить соль и специи. Откинуть грибы и овощи на дуршлаг. Бульон процедить. Грибы и лук измельчить в блендере. Добавить муку, растертую с постными сливками, развести грибным бульоном, смешать вместе и варить 30 мин. Добавить уксус и сахар. Грибной соус готов. Сварить каштаны, протереть их через сито и смешать с одной ложкой постных сливок. Из этой смеси сделать котлеты, обсыпать их сухарями и запекать в бумаге, пропитанной постными сливками. Котлеты подаются в своих бумажках, а к ним отдельно грибной соус.

๑ УЖИН ๏

Салат с кольцами кальмаров

(На три-четыре порции)

Латук-салат — 400 г, огурцы — 200 г, зелень кинзы — 200 г, кольца кальмаров (консервированные) — 700 г, постное масло — 100 мл.

Слить из кальмаров рассол. Огурцы помыть и нарезать тонкой соломкой. Листья салата промыть и порвать. Мелко нарезать кинзу. Все ингредиенты перемешать. Заправить постным маслом.

Сочное ризотто с овощами
(На четыре — шесть порций)

Лук репчатый — 1 шт., постное масло — 2 ст. ложки, рис — 300 г, овощной бульон (см. стр. 18) — ½ л, цукини — 2 шт., черешковый сельдерей — 2 стебля, помидоры — 4 шт., шампиньоны — 150 г, розмарин — 2 веточки, соевый сыр тофу с пряностями — 80 г.

Лук помыть, очистить, измельчить и пассеровать в постном масле до прозрачности. Цукини и сельдерей нарезать кружочками, а шампиньоны — дольками. С помидоров снять кожицу и нарезать их кубиками. Всыпать в кастрюлю рис, влить бульон и варить, помешивая, около 25 мин. За 5 мин. до окончания варки добавить овощи и грибы. Розмарин порубить и посыпать им ризотто. Посолить и поперчить по вкусу. Нарезать сыр тофу маленькими ломтиками и украсить готовое блюдо.

ВТОРНИК

ஐ ЗАВТРАК ை

Цикорный салат с фруктами
(На четыре — шесть порций)

Цикорный салат — 3 кочана, кисло-сладкие яблоки — 1 шт., апельсины — 1 шт., постные сливки (см. стр. 25) — 200 г, постное масло — 2 ст. ложки, лимонный сок — 2 ст. ложки, яблочный уксус — 1–2 ст. ложки, ростки сои — 50 г, очищенные тыквенные семечки — 3 ст. ложки, соль, черный молотый перец — по вкусу.

Листья салата следует погрузить в теплую воду на 15–20 мин., чтобы избавиться от горьковатого привкуса, затем вымыть и подсушить. Вырезать кочерыжку. Еще раз промыть, разобрать по листьям и нарезать их полосками. Яблоко вымыть, разрезать на 4 части, не снимая кожуры, вынуть серединку и нарезать тонкими дольками. Апельсин очистить, снять белую пленку и разрезать дольки пополам. Смешать яблоко, апельсин и нарезанный салат. Взбить до однородной массы с помощью миксера постные сливки с постным маслом, лимонным соком и яблочным уксусом. Приправить соус солью и черным молотым перцем и полить готовой заправкой салат. Очищенные тыквенные семечки прокалить на сковороде. Остудить до комнатной температуры. Листья цикорного салата и уже смешанный из ингредиентов салат разложить по тарелкам, посыпать ростками сои и тыквенными семечками.

Печенье из «Геркулеса»
(Восемь — двенадцать шт.)

Овсяные хлопья «Геркулес» — ½ стакана, бананы — ½ шт., яблоки — 1 шт., рафинированное растительное масло — 3 ст. ложки, сахар — 1–2 ст. ложки, фундук — 50 г, сушеная вишня — ½ стакана, молотая корица — ½ ч. ложки, разрыхлитель — 1 ч. ложка, соль — щепотка, ванилин — на кончике ножа.

Овсяные хлопья перемолоть в кофемолке. Получится овсяная мука. Сушеную вишню вымыть и просушить. Орехи порубить ножом. В миске соединить все сухие ингредиенты, фундук и сушеную вишню. Яблоко очистить от кожуры, удалить сердцевину и натереть на мелкой терке. Половину банана размять вилкой. Соединить яблочное и банановое пюре, добавить растительное масло и хорошо перемешать. Соединить фруктовое пюре с сухими ингредиентами. Тщательно перемешать и оставить на 10–15 мин. Духовку разогреть до 180 °C. Противень застелить пергаментом. Чайной ложкой выложить тесто на противень на небольшом расстоянии друг от друга. Выпекать печенье около 30 мин. Готовое овсяное печенье из геркулеса остудить на решетке.

❧ ОБЕД ☙

Салат из свёклы, огурцов и редиса
(На четыре порции)

Свёкла — 2–3 шт., огурцы — 1–2 шт., редис — 1 пучок, постное масло — 100 мл, чеснок — 1 зубчик, петрушка, алыча (можно взять сушеную) — по вкусу.

Сырую свёклу вымыть, очистить и натереть на крупной терке. Добавить нарезанные соломкой огурцы, редис и нарезанную алычу. Затем все перемешать, залить постным маслом, посыпать зеленью петрушки и рубленым чесноком.

Морковно-картофельный суп
(На три-четыре порции)

Морковь — 800 г, картофель — 500 г, тимьян — 10 веточек, постное масло — 200 мл, овощной бульон (см. стр. 18)– 1½ л, постные сливки (см. стр. 25) — 300 мл, белый хлеб — 4 ломтика, чеснок — 2 зубчик, петрушка — 2 веточки, тертый мускатный орех, соль, черный молотый перец — по вкусу.

Морковь и картофель очистить, вымыть и нарезать небольшими кубиками. Тимьян вымыть, обсушить, оборвать листики. Все припустить в 50 мл постного масла и затем добавить в овощной бульон вместе с постными сливками, варить 20 мин. Посолить, поперчить, приправить мускатным орехом.

Хлеб нарезать кубиками. Для того чтобы нарезать свежий хлеб тонкими ломтиками, нужно нагреть нож, опустив его на минуту в кипяток. Чеснок очистить, пропустить через пресс. В оставшемся масле обжарить хлебные кубики, а затем добавить чеснок.

Готовый суп украсить гренками и зеленью.

Чили из фасоли-ассорти

(На четыре — шесть порций)

Морковь — 3 шт., черешковый сельдерей — 3 стебля, чеснок — 3 зубчика, лук репчатый — 1 шт., помидоры в собственном соку — 900 г, соус сальса (традиционный соус мексиканской кухни) — 650 мл, порошок чили — 2 ч. ложки, молотый тмин — 1 ч. ложка, белая консервированная фасоль — 400 г, черная консервированная фасоль — 400 г, зеленый болгарский перец — 1 шт., красный болгарский перец — 1 шт., вода — 400 мл.

Морковь и сельдерей нарезать ломтиками. Чеснок измельчить. Помидоры размять вилкой. Лук нарезать полукольцами. Из фасоли слить жидкость и промыть. Перец нарезать крупными кусочками. Поместить морковь, сельдерей, чеснок, лук, помидоры, сальсу, порошок чили и тмин в кастрюлю, добавить 400 мл воды. Накрыть крышкой и готовить на медленном огне 5 ч.

Добавить фасоль и сладкий перец и готовить еще 15 мин., не закрывая крышкой, пока чили слегка не загустеет и перец не станет мягким.

Соус сальса

Спелые помидоры — 3 шт., чеснок — 3—5 зубчиков, лук репчатый — 1 шт., перец чили — 1 шт., сок свежего лимона — 1—2 ст. ложки, кинза — 1 пучок, черный свежемолотый перец, соль — по вкусу.

Сделать на каждом помидоре крестообразный надрез. Опустить в кипящую воду на 20 сек. и снять кожицу. Аккуратно вырезать плодоножки и нарезать мелкими кубиками. Очистить луковицу от шелухи, промыть под прохладной водой и нарезать так же, как и помидоры. Соединить в глубокой миске лук с помидорами и перемешать. Чеснок очистить и раздавить, добавить в помидорно-луковую смесь.

Из перца удалить все семена и мелко его нарезать, добавить к предыдущим ингредиентам и перемешать. Посолить и поперчить. С кинзы срезать стебли, листья крупно нарезать, добавить в овощную смесь. Лимон подержать 5 мин.

в горячей воде. Выдавить из него сок в готовое блюдо. Все перемешать и поставить в холодильник на 1–2 ч. Особенностью приготовления соуса является нарезка всех ингредиентов вручную. Овощная терка или комбайн здесь не приемлемы: соус, приготовленный вручную, имеет особый вкус.

Порошок чили

Молотый кайенский перец — 1 ст. ложка, паприка — 1 ст. ложка, молотый кумин — 2 ст. ложки, сушеный орегано — 1 ст. ложка, молотый сушеный чеснок — 2 ст. ложки.

Смешать все ингредиенты вместе. Хранить порошок чили в герметично закрытой таре в сухом месте.

◈ УЖИН ◈

Салат по-французски
(На три-четыре порции)

Огурец — 2 шт., болгарский перец — 2 шт., салат «айсберг» — несколько листьев, зеленый лук — 3 пера, бальзамический уксус — 2 ч. ложки, горчица — 2 ст. ложки, оливковое масло — 5 ст. ложек, укроп — по вкусу.

Огурцы, перец и зелень помыть. Листья салата порвать. Огурцы и помидоры нарезать крупными кубиками. В отдельную емкость поместить листья салата, огурцы и перец, порубленный укроп и зеленый лук. Для заправки смешать горчицу, масло и бальзамический уксус. Салат заправить и подать.

Трюфели из фиников
(Десять — пятнадцать шт.)

Пшеничная крупа — 75 г, финики — 75 г, миндаль — 50 г, лимонный сок — 1 ч. ложка, сироп шиповника — 2 ст. ложки, кунжут — 15 г, фисташки — 15 г.

Пшеничную крупу измельчить в кофемолке, высыпать в эмалированную посуду, залить 125 мл воды и поставить в холодильник на 30 мин. Затем крупу откинуть на дуршлаг и отжать, смешать с соком лимона и с сиропом шиповника. Взбить миксером или пропустить через мясорубку до получения однородной массы. У фиников удалить косточки, мякоть измельчить. Миндаль перемолоть. Добавить финики и миндаль в массу и перемешать. Сделать шарики. Половину из них обвалять в семенах кунжута, остальные — в измельченных фисташках.

СРЕДА

༄ ЗАВТРАК ༄

Рисовая каша с ананасом
(На четыре — шесть порций)

Ананасы (небольшого размера) — 1 шт., киви — 200 г, мед — 2 ст. ложки, лимоны — 1 шт., кокосовое молоко — 1 л, фруктоза — 2 ст. ложки, рис — 250 г, семена кунжута — 2 ч. ложки, молотая корица — 1 ч. ложка, цедра лимона, зелень — по вкусу.

Очистить ананас, удалить середину, нарезать мякоть дольками. Киви очистить и порезать кружочками. В отдельной емкости смешать мед и сок лимона, добавить дольки ананаса и оставить на 30 мин. В кастрюлю налить кокосовое молоко, добавить корицу, фруктозу, цедру лимона и посолить. Вскипятить смесь. Всыпать рис. Варить в течение 30 мин. на слабом огне, постоянно помешивая. Готовую кашу остудить. Семена кунжута прокалить на раскаленной сковороде до золотистого цвета. Разложить кашу по тарелкам, добавить дольки ананаса, перемешать. Украсить кашу кружочками киви, кунжутом и зеленью.

༄ ОБЕД ༄

Салат «Катильон»
(На три-четыре порции)

Морковь — 200 г, яблоки — 3–4 шт., хрен — 1 ст. ложка, соль, сахар, лимонная кислота или лимонный сок — по вкусу.

Очистить яблоки и морковь, натереть на крупной терке. Добавить натертый хрен, соль, сахар, лимонный сок. Все перемешать и сложить в салатницу. Сверху салат можно украсить кружочками моркови и дольками яблок.

Крем-суп из редиса
(На четыре порции)

Листья редиса — 40–50 шт., лук-шалот — 2 шт., картофель — 2 шт., оливковое масло — 4 ст. ложки, овощной бульон (см. стр. 18) — 2 л, листья шалфея — 4 шт., розмарин — 2 веточка (или немного молотого), тимьян — 2 веточка (или немного молотого), редис — 8 шт. — для украшения, сахар — 1 ст. ложка.

Редис промыть и нарезать тонкими кружочками, посыпать сахаром и оставить мариноваться на 1 ч. В кастрюле в оливковом масле потушить лук-шалот вместе с ароматными травами. Добавить нарезанный на кубики картофель и прожарить все вместе. Добавить овощной бульон. Помыть листья редиса. Бросить их в кастрюлю только тогда, как бульон закипит. Варить до готовности ингредиентов, после чего измельчить их погружным блендером или перетереть через сито до получения нежной массы. Разбавить горячим бульоном по вкусу, посолить и держать в теплом месте. Слить маринад с редиса, просушить бумажной салфеткой и пожарить на оливковом масле до золотистого цвета. Разлить крем-суп из листьев редиса по тарелкам и украсить каждую порцию жареным редисом, поперчить.

Морепродукты в кокосовом молоке
(На три-четыре порции)

Креветки — 1,2 кг, мини-кальмары — 20 шт., раковые шейки — 300 г, китайская рисовая лапша — 300 г, осьминоги в масле — 320 г, мидии — 140 г, постное масло — 6 ст. ложек.

Тушки мини-кальмаров помыть, подержать в кипятке, очистить, наполнить готовым муссом. Уложить на противень, полить тремя ст. ложками постного масла и запекать в духовке, нагретой до 170 °C, в течение 10 мин. Лапшу опустить в кипящую подсоленную воду и сразу снять с огня. Накрыть крышкой и дать постоять 3 мин. Затем откинуть на дуршлаг, залить холодной водой и обсушить. Постное масло разогреть в сковороде Вок. Обжарить лапшу на сильном огне. Обсушить бумажным полотенцем. Осьминоги, раковые шейки, мидии смешать в сковороде и обжаривать 2 мин. Снять с огня. Выложить в центр блюда, вокруг положить лапшу. Сверху выложить по очереди креветки и кальмары. Полить кокосовым соусом.

Мусс

Крабовое мясо — 500 г, кокосовое молоко, вода, соль, белый молотый перец — по вкусу.

Измельчить крабовое мясо в блендере с небольшим количеством воды, посолить. Влить кокосовое молоко и взбить. Мусс поставить в холодильник на 30 мин.

Кокосовый соус

Кокосовое молоко — 700 мл, рыбный соус Sen Soy — 4 ст. ложки, лимон — 2 шт., перец чили — по вкусу.

Влить в кастрюлю кокосовое молоко, добавить рыбный соус, перец чили и креветки. Поставить на огонь, довести до кипения, уменьшить огонь и готовить 5 мин. Затем добавить сок лимона и снять с плиты.

ઠ УЖИН ର

Салат с капустой и горошком

(На четыре — шесть порций)

Капуста белокочанная — 1 шт., зеленый консервированный горошек — 400 г, петрушка — 1 пучок, укроп — 1 пучок, масло грецкого ореха — 50 мл, соль и черный молотый перец — по вкусу.

Капусту мелко нашинковать и переложить в большой салатник. Посолить, хорошенько перетереть руками, чтобы капуста дала сок. Добавить горошек и мелко нарезанную зелень. Поперчить и заправить маслом.

Грибное лукошко
(На три-четыре порции)

Тыква большого размера — 1 шт., маринованные грибы — 300 г, картофель — 3 шт., лук репчатый — 1 шт., черешковый сельдерей — 1 стебель, помидоры — 3 шт., зелень, лимонный сок, специи — по вкусу.

Тыкву вымыть и срезать с нее крышечку. Семена удалить. Очищенный картофель нарезать ломтиками. Луковицу, сельдерей, помидоры и маринованные грибы измельчить, приправить и поместить в тыкву. Накрыть крышкой и запекать в разогретой до 180 °C духовке примерно 40—50 мин.

ЧЕТВЕРГ

☙ ЗАВТРАК ❧

Каша пшенная с джемом
(На четыре порции)

Пшено — 1 стакан, кокосовое молоко — 500 мл, постное масло — 1 ст. ложка, джем (варенье или мед), курага или изюм, сахар, соль — по вкусу.

Пшено тщательно перебрать, промыть и замочить в холодной воде примерно на 1 ч. Затем воду слить и залить крупу горячим, но некипяченым кокосовым молоком. Поставить на слабый огонь, довести до кипения и варить около 30 мин., постоянно помешивая. За 2 мин. до готовности добавить в кастрюлю курагу или изюм, масло, соль, сахар.

Разложить кашу по тарелкам и подавать, добавив в каждую несколько ложек джема.

◦ ОБЕД ◦

Салат из редьки с маринованными грибами
(На три-четыре порции)

Редька — 1 шт., маринованные грибы — 1 стакан, постное масло — 3 ст. ложки, лук репчатый — 1 шт., соль — по вкусу.

Редьку очистить, вымыть, нашинковать соломкой и залить холодной водой на 15 мин. Маринованные грибы промыть и нарезать соломкой. Редьку обжарить на масле в течение 5—7 мин., затем охладить и смешать с грибами. Салат посолить. Заправить постным маслом, украсить кольцами репчатого лука.

Бессара (марокканский бобовый суп)
(На четыре порции)

Колотые очищенные бобы (горох, чечевица, фасоль) или соевые бобы — 250 г, овощной бульон (см. стр. 18) — 1½ л, зира — 2 ч. ложки, чеснок — 4 зубчика, сладкая паприка — 1 ч. ложка, лимон — 2 шт., оливковое масло, кайенский перец, крупная морская соль — по вкусу.

Бобы залить едва теплым овощным бульоном, поставить на слабый огонь, довести до кипения и варить под крышкой до мягкости. Зиру насыпать в сухую сковороду, прокалить на среднем огне 2—3 мин., постоянно потряхивая. Всыпать в ступку, предварительно добавив чеснок, сладкую паприку, кайенский перец и соль, все мелко растолочь. Бобы поместить в блендер и измельчить. Добавить смесь специй в бобы, перемешать и варить еще 4 мин. Подать суп, сбрызнув оливковым маслом. Отдельно подать разрезанный на четвертинки лимон, сок из которого каждый сам может выжать себе в тарелку.

Тонкая пицца с осьминогами, рукколой и фисташками

(На восемь порций)

Мука — 1 кг, теплая вода — 650 мл, морская соль — 1 ст. ложка, сухие дрожжи — 14 г, оливковое масло — 6 ст. ложек, сахарный песок — 1 ст. ложка, осьминоги — 350 г, помидоры — 4 шт., постное масло — 50 мл, томатная паста — 3 ст. ложки, руккола — 15 г, фисташки — горстка, прованские травы — по вкусу.

Просеять муку на стол горкой, сделать углубление. Соединить дрожжи, сахарный песок, воду и 4 ст. ложки оливкового масла, влить смесь в лунку и перемешать. Вымесить крутое тесто, переложить в отдельную емкость, накрыть полотенцем и дать ему подойти. Затем тесто раскатать и выложить на смазанный постным маслом противень. Вскипятить воду и варить в ней осьминогов около 3 мин., затем откинуть на дуршлаг, остудить. В ступке смешать томатную пасту, оливковое масло и специи до образования однородной массы. Смазать тесто томатной смесью с пряностями. Распределить по поверхности осьминоги, помидоры, разрезанные на 4 части, и фисташки. Поставить противень с пиццей в разогретую до 180–200 °С духовку и выпекать около 30 мин. Посыпать листьями рукколы.

෨ УЖИН ෬

Салат из кабачков с помидорами

(На четыре — шесть порций)

Небольшие кабачки — 4–5 шт., постное масло — ⅓ стакана, лимонный сок — 1 ст. ложка, помидоры — 3 шт., чеснок — 4–5 зубчиков, зелень, укроп, соль — по вкусу.

Кабачки очистить и отварить в подсоленной воде, остудить, нарезать ломтиками, выложить в отдельную емкость и полить заправкой, приготовленной из масла, лимонного сока, растертого с солью чеснока и измельченной зелени. По краям выложить нарезанные кружочками помидоры.

Баклажаны, фаршированные крабовым мясом
(На три порции)

Баклажаны — 3 шт., оливковое масло — 1 ст. ложка, крабовое мясо — 150 г, зеленый лук — 2 пера, руккола — 25 г, лимон — ½ шт., панировочные сухари — 1 ст. ложка, томатная паста — 35 г, соль, черный молотый перец — по вкусу.

Разогреть духовку до 200 °C. Бланшировать баклажаны в подсоленной воде 5 мин. Затем положить в миску с холодной водой. Обсушить бумажным полотенцем и разрезать каждый баклажан вдоль на две половинки. Очистить от кожуры и семян. Мякоть вырезать и нашинковать, положить в сковороду с подогретым оливковым маслом. Добавить крабовое мясо, лук, рукколу и томатную пасту. Посолить, поперчить и перемешать. Обжаривать 2 мин. Заполнить начинкой баклажаны.

Посыпать панировочными сухарями и сбрызнуть лимонным соком. Положить баклажаны в смазанный маслом противень и запекать около получаса.

ПЯТНИЦА

❧ ЗАВТРАК ❧

Овсяная каша с медом
(На четыре порции)

Овсяные хлопья — 8 ст. ложек, вода — 150 мл, мед — 4 ч. ложки, постное масло — 40 г, фрукты, изюм или чернослив — по вкусу.

Залить кипятком овсяные хлопья. (Можно залить кипятком на ночь, тогда утром следует подогреть массу на огне.) Добавить масло, мед, мелко порезанные фрукты, орехи. Дать настояться 15 мин.

ОБЕД

Салат из белых грибов с вялеными помидорами под бальзамической заправкой

(На четыре порции)

Помидоры — 4 шт., белые грибы или шампиньоны — 400 г, салат (руккола, латук, кресс-салат) — 200 г, оливковое масло — 200 мл, бальзамический уксус — 200 мл, тимьян, чеснок, перец, морская соль — по вкусу.

Помидоры помыть, у плодоножки сделать крестообразные надрезы с другой стороны, затем положить томаты в кипящую воду на 20 сек. Вынуть из кипятка, опустить в холодную воду и затем снять кожицу. Разрезать каждый помидор на 4 части. Удалить семена.

Выложить на противень, посыпать нарезанным чесноком и свежим тимьяном. Посолить и поперчить дробленым перцем. Все полить оливковым маслом и поставить в духовку, разогретую до 100 °C, на 5 мин., если помидоры мягкие, и на 20 мин., если твердые.

Грибы обжарить на оливковом масле. Порвать салатные листья и наполнить ими тарелку. По краям выложить обжаренные грибы.

Сверху расположить ломтики помидоров и листья рукколы, полить бальзамическим уксусом, смешанным с оливковым маслом.

Холодный суп из авокадо

(На четыре порции)

Авокадо — 4 шт., кокосовое молоко — 800 мл, белый молотый перец, специи — по вкусу.

Авокадо помыть и разрезать вдоль косточки. Повернуть на четверть и сделать еще один продольный надрез. Должно получиться четыре дольки.

Удалить косточку. Поддеть кожуру авокадо на каждой дольке ножом и отделить ее от мякоти.

Благодаря такому способу разделки сохранится темно-зеленая часть мякоти, которая находится ближе всего к кожуре и содержит большое количество полезных микроэлементов.

Мякоть авокадо, кокосовое молоко, соль и перец взбить в блендере в пену, как капучино.

Сразу подавать, пока суп свежий и воздушный.

Жареный перец с крабовым мясом
(На четыре порции)

Болгарский перец — 4 шт., крабовое мясо — 200 г, оливковое масло — 4 ст. ложки.

Перцы помыть, сделать надрез острым ножом вокруг хвостика и аккуратно вынуть ножку вместе с семенами, нарезать вдоль полосками. Полоски перца слегка обжарить на масле. Крабовое мясо нарезать.

Когда перец будет почти готов, положить в сковородку крабовое мясо на 1—2 мин.

෨ УЖИН ෬

Салат кальмаровый
(На три-четыре порции)

Очищенные креветки — 400 г, тушка кальмара — 400 г, лук репчатый — 4 шт., постные сливки (см. стр. 25) — 2 стакана, постное масло — 100 мл, пекинская капуста — 2 кочана, соль — по вкусу.

Кальмары разморозить и окунуть в кипяток, затем облить холодной водой, очистить от пленки и порезать тонкими полосками. Лук почистить, помыть, порезать и пожарить, добавить нарезанный кальмар и креветки.

Залить постными сливками, посолить и тушить на сильном огне около 5 мин., пока не испарятся сливки. Остудить. Капусту вымыть, разделить на листья. В середину каждого листа положить кальмары с креветками.

Капустные рулеты с рисом
(На четыре-пять порций)

Рис — 200 г, лук репчатый — 2 шт., постное масло — 2 ст. ложки, изюм — 50 г, кедровые орехи — 30 г, фисташки — 30 г, грецкие молотые орехи — 50 г, белокочанная капуста — 1 кочан, перец чили — 1 шт., постные сливки (см. стр. 25) — 200 г, овощной бульон (см. стр. 18) — 200 г, протертые помидоры — 50 г, зеленый лук, соль — по вкусу.

Рис отварить. Лук нарезать и пассеровать в масле. Добавить в рис вместе с фисташками, изюмом, кедровыми и грецкими молотыми орехами.

Для того чтобы без труда очистить грецкие орехи, их следует положить в эмалированную посуду, залить крутым кипятком, закрыть крышкой и оставить на 15—20 мин., затем воду слить. После этого орех легко расщепится кончиком ножа и ядро целиком извлечется из скорлупы; также можно подержать орехи 10—15 мин. в горячей духовке.

Капусту вымыть, снять листы, бланшировать в подсоленной воде, сполоснуть. Разложить на кухонном полотенце. Выложить на каждый лист начинку из рисовой смеси, свернуть в виде рулетов, проткнуть зубочистками. Обжарить с двух сторон на постном масле, переложить на противень.

Приготовить соус.

Перец чили очистить, мелко порубить, обжарить в остатках постного масла. Добавить постные сливки, помидоры, залить бульоном и держать на огне около 5 мин.

Залить этим соусом рулеты и поставить в духовку, разогретую до 200 °C на 45 мин.

Подать с соусом, посыпанным рубленым зеленым луком.

СУББОТА

ஒ ЗАВТРАК ௰

Фокачча (итальянская пшеничная лепешка) с розмарином и оливками
(На четыре порции)

Свежие дрожжи — 10—12 г или сухие — 2 ч. ложки, мука — 300 г, оливковое масло — 6 ст. ложек, вода — 100 мл, свежий розмарин, оливки, крупная соль, мед — по вкусу.

Развести дрожжи в теплой воде, добавить 3 ст. ложки муки и немного меда. Оставить на 30 мин. Когда опара поднимется, добавить масло и оставшуюся муку. Переложить тесто в посуду, смазанную оливковым маслом. Закрыть пленкой и оставить на 2 ч. Выложить поднявшееся тесто на противень (толщина его 1,5 см), смазать оливковым маслом и, сделав небольшие ямки, положить в них нарезанные оливки, посыпать крупной солью и розмарином. Поставить в разогретую до 200 °C духовку на 20 мин., чтобы снаружи тесто стало хрустящим, а внутри — мягким.

ஒ ОБЕД ௰

Острый тайский салат с кальмарами
(На четыре порции)

Кальмары — 500 г, мелкие перчики чили — 5 шт., чеснок — 5 зубчиков, лаймовый сок — ¼ стакана, рыбный соус Sen Soy — 4 ст. ложки, листья мяты — ½ стакана, лук-шалот — 2 шт., черешковый сельдерей — 3 стебля, листья латук-салата, соль, перец — по вкусу.

Чеснок очистить. Измельчить. Сельдерей нарезать небольшими кусочками. Шалот очистить, нарезать тонкими кольцами. Перец чили мелко нарезать. Приготовить заправку: перец и чеснок истолочь в ступке, смешать с лаймовым соком и рыбным соусом.

Кальмары нарезать на небольшие кусочки и опустить в кипяток на 1 мин. Откинуть на дуршлаг. Смешать с мятой, луком-шалотом и сельдереем. Посолить и поперчить, полить заправкой и перемешать. Выложить на листья латук-салата и подать.

Картофельный суп с квашеной капустой
(На четыре порции)

Лук репчатый — 200 г, квашеная капуста — 700 г, постное масло — 6 ст. ложек, овощной бульон (см. стр. 18) — 1 л, картофель — 700 г, болгарский перец — 1 шт., красный молотый перец — 4 ч. ложки, горчица — 2 ч. ложки, зеленый лук, соль, черный молотый перец — по вкусу.

Репчатый лук очистить, помыть, нарезать полукольцами. Капусту откинуть на дуршлаг, чтобы стек сок, и крупно порезать. В кастрюле спассеровать лук на постном масле и посыпать перцем. Добавить капусту, перемешать, приправить солью и перцем. Влить бульон и варить 30 мин. Болгарский перец помыть, срезать плодоножку, очистить от семечек, нарезать полосками. Картофель нарезать кубиками и поджарить на постном масле, поперчить, добавить полоски болгарского перца. Тушить 5 мин. Снять суп с плиты. Добавить в него горчицу, полоски болгарского перца и картофель. Украсить колечками зеленого лука.

Пряный рис по-индийски
(На четыре порции)

Лук репчатый — 4 шт., постное масло — 4 ст. ложки, рис — 400 г, куркума — щепотка, корица — 2 палочки, семена кардамона — 12 шт., семена тмина — 2 ст. ложки, изюм — горсть, орехи кешью — горсть.

Вскипятить 2 стакана воды в большой кастрюле, посолить и добавить в нее рис. Довести до кипения и варить на небольшом огне, не накрывая крышкой и не помешивая, 10—15 мин. За 1—2 мин. до готовности добавить в рис куркуму и корицу, а затем слить воду и промыть. В сковороде Вок обжарить на постном масле лук до золотистого цвета, положить кардамон и тмин, обжаривать еще несколько минут. Добавить изюм и поджаренные орехи, затем — отваренный рис.

ℬ УЖИН ℭ

Легкий салат

(На четыре — шесть порций)

Картофель — 500 г, морковь — 3 шт., капуста кольраби — 1 шт., стручки фасоли — 100 г, лук репчатый — 1 шт., каперсы — 2 ст. ложки, петрушка — 1 пучок, уксус — 4 ст. ложки, соль, черный молотый перец — по вкусу.

Морковь и капусту кольраби нарезать кусочками и варить 10 мин. в подсоленной воде. Добавить стручки фасоли и варить еще 20 мин. Овощи откинуть на дуршлаг. Лук нарезать кубиками, смешать с каперсами, уксусом, солью, перцем. Затем все соединить. Картофель отварить, нарезать кружками, перемешать с соусом и убрать на 15 мин. в холодильник. Петрушку порубить и смешать с овощами, добавить картошку с соусом. Выложить все на блюдо.

Соус

Мука — 1 ч. ложка, овощной бульон (см. стр. 18) — 200 мл, вода — 5 ст. ложек, лимонный сок, зелень — по вкусу.

Развести муку в воде. Довести до кипения овощной бульон и влить, помешивая, мучную жидкость. Когда загустеет, снять с огня. Добавить немного лимонного сока и рубленую зелень. Влить в салат.

Спагетти с грибным рагу

(На четыре порции)

Свежие белые грибы — 60 г, сушеные грибы — 30 г, спагетти — 400 г, протертая мякоть помидоров — 500 г, лук репчатый — 2 шт., морковь — 2 шт., оливковое масло — 6 ст. ложек, свежая петрушка — 4 веточки, мука, соль, перец — по вкусу.

Очищенные помидоры нарезать на части и натереть на терке, затем пропустить через сито, чтобы избавиться от семян. Для того чтобы натереть помидоры, их надо бланшировать в кипящей воде, предварительно сделав крестообразный надрез, потом окунуть в холодную воду и снять кожицу.

Сушеные грибы замочить в ½ л теплой воды на 30 мин. Воду слить и сохранить, грибы отжать и порезать. Свежие грибы очистить, нарезать ломтиками. Лук и морковь очистить, тонко нарезать. Лук можно обвалять в муке. Морковь и лук обжарить в сковороде с разогретым маслом (3—4 мин.), постоянно помешивая. Добавить грибы, жарить еще 1 мин. Влить в сковороду 1 стакан воды, оставшейся после замачивания грибов. Готовить, пока жидкость не выпарится наполовину. Добавить мякоть помидоров. Посолить, поперчить и готовить на слабом огне еще 25 мин. Спагетти отварить в кипящей подсоленной воде. Откинуть на дуршлаг, выложить в глубокую миску. Заправить соусом с грибами, аккуратно перемешать. Разложить по тарелкам, украсить листиками петрушки и подать.

ВОСКРЕСЕНЬЕ

ЗАВТРАК

Салат из шпината, кедровых орехов и карамелизированных апельсиновых корочек
(На четыре порции)

Свежий шпинат — 200 г, апельсины — 2 шт., апельсиновый сок — 4 ст. ложки, кедровые орехи — 80 г, сахар — 800 г, оливковое масло — 4 ст. ложки, мед — 2 ч. ложки, зернистая горчица — 1 ч. ложка, сок одного лимона, черный свежемолотый перец, соль — по вкусу.

Вымыть шпинат, отделить листья и положить их в салатницу. Апельсин вымыть, нарезать кружочками и опустить в кипяток на 3—5 мин. Достать и выложить на бумажное полотенце. Дать подсохнуть. Дно сковороды засыпать сахаром, выложить апельсины и посыпать их сахаром. Залить водой, чтобы кружочки апельсина были закрыты. Поставить на небольшой огонь и варить до прозрачности и мягкости кожуры около 1 ч. Выложить апельсин на бумагу, дать остыть и затем положить на шпинат. Приготовить заправку. Смешать в отдельной емкости апельсиновый и лимонный соки, оливковое масло, мед, горчицу, соль, перец. Залить салат. Посыпать кедровыми орешками.

Лимонный мусс
(На четыре порции)

Лимоны — 2 шт., вода — 3 стакана, сахар — 1 стакан, желатин — 40 г.

Снять цедру с лимонов, залить 2 стаканами воды, добавить сахар, вскипятить, добавить лимонный сок. В 1 стакане воды развести желатин. После того как разбухнет, распустить, нагревая его на водяной бане; постоянно помешивая до полного растворения, но не доводя до кипения. Затем влить в лимонный отвар. Жидкость взбивать миксером на льду до тех пор, пока не побелеет и не загустеет. Разлить по формам, дать застыть.

ஐ ОБЕД ஒ

Салат из помидоров с чесноком
(На три-четыре порции)

Помидоры — 3 шт., лук репчатый — 1 шт., чеснок — 2 зубчика, зелень, соль, черный молотый перец — по вкусу.

Помидоры помыть и нарезать кружочками. Репчатый лук очистить, помыть и нарезать кольцами. Овощи уложить в салатницу, полить заправкой. Посыпать мелко рубленной зеленью и толченым чесноком. Добавить соль и перец. Перемешать.

Заправка

Томатный сок — 45 мл, уксус 3%-ный — 30 мл, постное масло — 15 г, сахар — 10 г.

Смешать томатный сок, уксус, масло и сахар.

Суп из чечевицы с лапшой

(На три порции)

Овощной бульон (см. стр. 18) — 1 л, рисовая лапша — 400 г, лук репчатый — 2 шт., корень петрушки — 1 шт., корень сельдерея — 1 шт., петрушка — 1 пучок, консервированная чечевица — 250 г.

Лук очистить, помыть, нарезать кубиками, добавить в кастрюлю с бульоном. Коренья помыть, очистить и нарезать. Положить в кастрюлю и варить 10 мин. Отварить лапшу в подсоленной воде, откинуть на дуршлаг. Чтобы суп с лапшой не получился мутным, можно прямо в дуршлаге опустить лапшу в горячую воду на 1 мин. и затем откинуть на сито. Добавить в кастрюлю лапшу и чечевицу, варить еще 5 мин. Петрушку порубить, посыпать суп.

Креветки по-китайски

(На четыре — шесть порций)

Оливковое масло — 6 ст. ложек, лук репчатый — 1 шт., фенхель — 1 шт., красный молотый перец — ¾ ч. ложки, помидоры — 680 г, орегано — 1 ст. ложка, крупные креветки — 32 шт., лимоны — ½ шт., соль — по вкусу.

Разогреть 4 ст. ложки масла в глубокой сковороде. Добавить мелко нарезанный лук, тонкие ломтики фенхеля и перец. Спассеровать до мягкости, примерно 6 мин. Добавить нарезанные помидоры и орегано, посолить. Уменьшить огонь и тушить на сковороде еще 5 мин. Выложить в миску.

Разогреть в сковороде 2 ст. ложки масла. Обжарить очищенные креветки до розового цвета, примерно 3 мин. Залить овощной поджаркой и прогреть. Посолить, полить лимонным соком. Подавать с мелкими макаронными изделиями или кускусом.

❧ УЖИН ☙

Салат картофельный с маслинами
(На три порции)

Картофель — 500 г, лук репчатый — 1 шт., уксус — 1 ч. ложка, постное масло — 2 ст. ложки, маслины — 50 г, соль, черный молотый перец — по вкусу.

Картофель отварить в мундире, остудить, очистить и нарезать ломтиками. Добавить мелко нарезанный лук, соль, перец, постное масло и уксус. Оставить на 30 мин., украсить маслинами.

Запеченная свёкла с фенхелем и изюмом
(На четыре порции)

Свёкла — 4 шт., фенхель — 1 шт., апельсины — 2 шт., изюм — горсть, зеленый чай с жасмином — 1 пакетик, кедровые орехи — 2 ст. ложки, бальзамический уксус — 1 ч. ложка, соевый соус — 1 ч. ложка, кедровое масло, свежемолотый черный перец — по вкусу.

Взять свёклу среднего размера с неповрежденной шкуркой, каждую завернуть в фольгу, запекать в разогретой до 190 °C духовке 30 мин. Затем очистить от кожуры, нарезать тонкими дольками, сбрызнуть уксусом и соевым соусом, остудить. Заварить чайный пакетик на две трети стакана кипятка, настаивать 5 мин.; не вынимая пакетика, всыпать изюм. Оставить на 15 мин., откинуть изюм на дуршлаг, настой влить в сотейник и уварить на две трети. Фенхель тонко нарезать и положить на 15 мин. в воду со льдом. Откинуть на дуршлаг, обсушить. С апельсинов острым ножом срезать корку, так, чтобы была видна мякоть. Нарезать дольками, уложить в дуршлаг, сохраняя вытекающий сок. Влить сок в уваренный чайный настой, взбить венчиком, добавляя немного кедрового масла. Смешать свёклу и апельсиновые дольки, добавить фенхель и изюм. Перемешать, посыпать кедровыми орехами, полить заправкой, приправить перцем.

Седмица 4-я
Великого поста

ПОНЕДЕЛЬНИК

ೞ ЗАВТРАК ೞ

Крестики

Мука — 2 стакана, мед — 250 г, вода — ½ стакана воды, растительное масло — 3 ст. ложки, миндаль (можно и другие орехи) — 150 г, пряности (корица, гвоздика, кардамон) — 1 ч. ложка, лимон — 1 шт., сода — ½ ч. ложки.

Измельченные орехи смешать с медом, водой, маслом и пряностями. Из лимона удалить семечки и натереть его целиком на крупной терке. Перемешать с ореховой пастой до однородности, добавить муку и соду.

Замесить тесто до консистенции песочного, раскатать, нарезать тесто на полоски, соединить их крестообразно, в месте перекладин вдавить изюм или орешек, выпекать в разогретой до 200 °C духовке.

Грейпфрут в духовке
(На четыре порции)

Грейпфруты — 4 шт., постное масло — 12 ст. ложек, коричневый сахар или мед, засахаренные орехи — по вкусу.

Выбрать крупные грейпфруты красного оттенка (они слаще). Помыть, разрезать пополам, надрезать ножом кожуру, высвободить дольки, но не вынимать их. В середину каждого грейпфрута залить постное масло. Посыпать сахаром и запечь в духовке до золотистого цвета. Можно украсить грейпфруты засахаренными орехами.

✑ ОБЕД ✑

Салат сюрпризов
(На четыре порции)

Шпинат — 750 г, руккола — 5 горстей, сушеные яблоки — 300 г, клубника — 300 г.

Шпинат и рукколу промыть, обсушить, крупно нарезать. Сушеные яблоки мелко нарезать. Клубнику нарезать ломтиками. Все перемешать. Залить салат соусом непосредственно перед подачей.

Соус

Постное масло — 3 ст. ложки, оливковое масло — 3 ст. ложки, мед — 5 ст. ложек, чеснок — 3 зубчика, винный уксус — 3 ст. ложки, соль — ½ ч. ложки, черный молотый перец — ¼ ч. ложки, сахар — 1 ст. ложка.

Соединить все ингредиенты.

Суп японский со сливой
(На четыре порции)

Рис — 200 г, водоросли (сушеные или свежие) — 100 г, слива — 60 г, васаби — 10 г, зеленый чай — 200 мл.

Отварить рис. Сушеные водоросли замочить в воде примерно на 30 мин., ошпарить кипятком, затем окунуть в холодную воду. Это придаст им сочный зеленый цвет. Рис подать вместе с водорослями, сверху положить сливу и васаби. Залить зеленым чаем.

Спагетти с томатным соусом песто
(На четыре порции)

Спагетти — 800 г, вяленые помидоры в масле — 560 г, чеснок — 4 зубчика, апельсиновый сок — 4 ст. ложки, оливковое масло — 4 ст. ложки, молотый миндаль — 60 г, реган, черный молотый перец, соль — по вкусу.

Помидоры вынуть из банки, масло сохранить. Очищенный чеснок, помидоры, молотый миндаль размельчить в блендере, постепенно вливая масло от помидоров. Приготовленный соус песто переложить в отдельную емкость, смешать с апельсиновым соком и добавить оливковое масло. Посолить и поперчить.

Сварить спагетти до состояния аль денте, в отдельную емкость отлить немного воды, в которой они варились. Спагетти откинуть на дуршлаг, промыть холодной водой и дать стечь.

Переложить обратно в кастрюлю и добавить 4 ст. ложки воды, которую оставили после варки.

Смешать соус песто со спагетти. Блюдо украсить веточкой регана.

ஐ УЖИН ை

Салат из баклажанов, болгарского перца и вяленых томатов
(На четыре порции)

Баклажаны — 4 шт., болгарский перец — 1 шт., вяленые томаты — 4 шт., лук репчатый — 1 шт., чеснок — 2 зубчика, тмин — 1 ч. ложка, постное масло — 4 ст. ложки, лимонный сок, зелень, соль — по вкусу.

Баклажаны в одном или двух местах надрезать или проколоть и положить в духовку, нагретую до 180 °C. Запекать до мягкости, пока не почернеет кожица, затем вынуть и охладить.

Баклажаны очистить и нарезать вместе с перцем, томатами, луком и зеленью.

Перемешать все овощи. Отдельно размешать тмин с постным маслом, лимонным соком и растертым чесноком. Добавить эту заправку к овощам и еще раз хорошо перемешать.

Картофель с перцами
(На четыре порции)

Картофель — 6 шт., зеленый болгарский перец — 1 шт., красный болгарский перец — 2 шт., лук репчатый — 1 шт., постные сливки (см. стр. 25) — 50 мл, постное масло — 50 мл, сладкая паприка — ½ ч. ложки, соль — ½ ч. ложки.

Лук и перец помыть, очистить. Лук нарезать кубиками, а перцы — полосками. Картофель помыть, отварить в мундире. Разогреть постное масло в большой сковороде и обжарить лук до золотистого цвета. Добавить перцы и тушить. Очистить картошку, нарезать кубиками и переложить в сковороду. Посолить, поперчить и жарить на среднем огне до румяной корочки. Перед подачей добавить постные сливки, которые нужно нагреть, не доводя до кипения.

ВТОРНИК

ஐ ЗАВТРАК ௸

Рисовая каша с курагой и апельсиновым соком
(На три-четыре порции)

Крупнозерный рис — 400 г, кокосовое молоко — 1,2 л, мед — 2 ст. ложки, курага — 360 г, апельсины — 2 шт., цедра апельсина — 1 ст. ложка.

Рис промыть и всыпать в кипящее кокосовое молоко, варить 5 мин. Уменьшить огонь и варить под крышкой до готовности. Снять с огня и оставить в теплом месте. Курагу крупно нарезать. В кастрюле смешать мед и выжатый из апельсинов сок, поставить на небольшой огонь и готовить, пока мед полностью не разойдется. Положить курагу, перемешать и готовить еще 3 мин. Добавить в рис курагу вместе с сиропом и апельсиновой цедрой. Перемешать и подать.

⁊ ОБЕД ⁊

Белая редька дайкон, маринованная в лимонной цедре и рисовом уксусе

(На четыре порции)

Дайкон — 500 г, рисовый уксус — 100 мл, тростниковый сахар — 1 ст. ложка, кунжутные семечки — 10 г, цедра одного лимона.

Обжарить кунжутные семечки до появления орехового запаха. Сковороду снять с огня, семечки переложить в отдельную емкость. Рисовый уксус смешать с тростниковым сахаром до его растворения. Редьку дайкон очистить и тонко нарезать, выложить в глубокое блюдо и залить соусом из рисового уксуса и тростникового сахара, посыпать лимонной цедрой и кунжутными семечками. Убрать в холодильник на 30 мин.

Чечевичная похлебка с савойской капустой

(На три-четыре порции)

Савойская капуста — 400 г, лук репчатый — 1 шт., морковь — 1 шт., корень сельдерея — 50 г, помидоры — 2 шт., оливковое масло — 4 ст. ложки, овощной бульон (см. стр. 18) — 1½ л, чечевица — 150 г, рис — 100 г, постное масло — 2 ст. ложки, соль, перец — по вкусу.

Савойскую капусту почистить, вымыть, листья крупно нарезать. Репчатый лук, морковь и сельдерей очистить, вымыть и мелко нарезать. Помидоры вымыть, разрезать каждый пополам, удалить основания плодоножек и семена, мякоть крупно нарезать. Разогреть в большой кастрюле оливковое масло и обжарить в нем морковь с луком и сельдереем. Добавить в овощи капусту и обжаривать ее 3—4 мин. Затем влить овощной бульон. Чечевицу промыть, откинуть на дуршлаг, дать воде стечь и добавить вместе с помидорами в суп, варить 10 мин. Всыпать рис и готовить еще 15 мин. Приправить солью и перцем, добавить постное масло.

Рисовые блинчики с сушеными грибами
(На три порции)

Рис — 300 г, сушеные белые грибы — 50 г, рисовая мука — 3 ст. ложки, вода — 600 мл, оливковое масло — 2 ст. ложки, постное масло — 2 ст. ложки, свежая зелень петрушки и укропа — пучок, морская соль, свежемолотый черный перец — по вкусу.

Сушеные грибы замочить в теплой воде на 10 мин. Разогреть в сковороде оливковое масло, поджарить мелко нарезанный лук до прозрачности. Добавить рис, перемешать, добавить воду, готовить 15 мин. Грибы отжать и нарезать. Добавить в рис грибы, петрушку и укроп, муку, постное масло. Посолить и поперчить. Перемешать все, слепить небольшие блинчики и обжарить на постном масле.

ಠ УЖИН ಲ

Фасолевый салат с чесночным ароматом
(На четыре порции)

Фасоль стручковая замороженная — 500 г, помидоры черри — 250 г, руккола — 1 пучок, чабер — 1 пучок, лук красный — 1 шт., чеснок — 1 зубчик, кедровые орехи — 2 ст. ложки, оливковое масло — 4 ст. ложки, бальзамический уксус — 3 ст. ложки, соль, черный молотый перец — по вкусу.

Свежий чабер промыть под струей воды. Вскипятить воду, посолить. Фасоль и чабер опустить в кипящую воду, варить 20 мин. Пучок чабера удалить из кастрюли. Фасоль откинуть на дуршлаг, обдать холодной водой и дать стечь. Помидоры вымыть и разрезать пополам. Вымытые листья рукколы разорвать на кусочки. Лук нарезать дольками. Перемешать все ингредиенты в отдельной емкости. Измельченный чеснок смешать с уксусом, солью и перцем. Взбивая, влить оливковое масло. Кедровые орехи обжарить. Заправить салат приготовленным маринадом и посыпать орешками.

Имам баялды

(На четыре порции)

Баклажаны — 2 шт., лук репчатый — 1 шт., чеснок — 1 зубчик, помидоры — ½ шт., оливковое масло — 3 ст. ложки, красный болгарский перец — 1 шт., томатная паста — 6 ч. ложек, сахар — ½ ч. ложки, уксус — 1 ч. ложка, жареные кедровые орехи — горстка, зелень кориандра, соль, перец — по вкусу.

Баклажаны помыть, нарезать кружочками толщиной 0,5 см. Посолить и положить на 30 мин. в дуршлаг. На сковороде разогреть ложку оливкового масла и добавить мелко нарезанные лук, чеснок, сладкий перец и помидоры. Тушить 10 мин. до мягкости лука, затем добавить томатную пасту, сахар, уксус и перец. Тушить 5 мин. Баклажаны насухо промокнуть бумажным полотенцем и выложить на противень, сверху полить томатной смесью и оставшимся оливковым маслом. Запекать в разогретой до 180 °C духовке 30 мин. Подавать с жареными кедровыми орешками и зеленью кориандра.

СРЕДА

ഇ ЗАВТРАК ൚

Ореховый салатик

(На четыре порции)

Цикорный салат — 1 шт., латук-салат — ½ кочана, апельсины — 1 шт., лук репчатый — 1 шт., грецкие орехи — 50 г, постное масло — 3 ст. ложки, яблочный уксус — 1 ст. ложка, яблочный сок — 1 ст. ложка, свекольный сироп — 1 ч. ложка, соль, черный молотый перец — по вкусу.

Грецкие орехи измельчить. Очистить цикорий и латук-салат, вымыть, высушить. Салат разложить на тарелке. Апельсин разрезать пополам: одну половинку очистить, нарезать и распределить по салату, а другую — отложить. Лук очистить, сполоснуть прохладной водой, нарезать тонкими кольцами, смешать с молотыми грецкими орехами, разложить по салату. Для заправки смешать уксус, яблочный сок и свекольный сироп, посолить и поперчить. Ввести взбитое постное масло, вылить заправку на салат. Оставшуюся половинку апельсина нарезать кружочками и подавать вместе с салатом.

Свекольный сироп

Свекольный сок — 500 г, сахар — 125 г.

Выжать сок из свёклы, варить на медленном огне, пока не уварится в 2 раза. Добавить сахар, перемешать. Варить на медленном огне до полного растворения сахара. Остудить и перелить в бутылку.

Шоколадный кускус
с карамелизированными апельсинами
(На четыре порции)

Кускус — 400 г, горький шоколад с содержанием какао 80 % — 200 г, сахар коричневый — 200 г, апельсины — 4 шт.

Кускус залить кипятком и оставить набухать на 15 мин. Шоколад растопить. Для этого положить его в полиэтиленовый мешочек и опустить в кипящую воду на 2 мин. Сахар высыпать на сковороду и подождать, пока он растает и запузырится. Апельсины порезать и тщательно вырезать дольки, чтобы не попадались белые перемычки. Выделившийся при этом сок и сами дольки добавить в карамелизированный сахар. Прогревать около 3 мин. на небольшом огне, постоянно помешивая. Растаявший шоколад через дырочку в мешочке вылить на кускус и хорошо размешать. Выложить шоколадный кускус на блюдо, полить апельсиновой карамелью и украсить дольками карамелизированного апельсина.

ОБЕД

Салат из кольраби
(На три-четыре порции)

Огурец — 1 шт., капуста кольраби — 2 шт., морковь — 2 шт.

Огурцы, кольраби, морковь помыть. Кольраби очистить. Огурец разрезать пополам, очистить от семян. Нарезать кольраби, морковь и огурец соломкой, сложить в отдельную емкость. Залить салат соусом.

Соус

Соевый соус — 2 ст. ложки, уксус — 2 ч. ложки, кунжутное масло — 1½ ч. ложки, чеснок — 2 зубчика, соль — ¼ ч. ложки, черный молотый перец — ¼ ч. ложки.

Смешать все ингредиенты.

Сухарничек
(На четыре порции)

Черный хлеб — 800 г, тертый хрен — 4 ст. ложки, квас — 4 стакана, постное масло — 6 ст. ложек, зеленый лук, черный молотый перец, соль — по вкусу.

Нарезать мелкими кубиками черный хлеб, залить постным маслом. Зеленый лук помыть и нарезать. В отдельной емкости смешать хлеб, лук, хрен, посолить и поперчить. Залить квасом.

Овощная запеканка
(На три-четыре порции)

Баклажаны — 2 шт., помидоры — 4 шт., картофель — 4 шт., соус сальса (см. стр. 76) — 200 мл, шампиньоны — 200 г, постное масло — 60 мл, зелень, соль — по вкусу.

Баклажаны помыть и порезать вдоль на 4 части. Посолить и оставить на 30 мин. Картофель помыть, почистить и отварить до полуготовности, нарезать кружочками. Помидоры помыть и порезать кольцами. В противень с высокими бортиками выложить слоями баклажаны, картофель, помидоры, грибы, зелень. Полить постным маслом и сальсой. Закрыть фольгой. Поставить в разогретую до 150 °C духовку на 30 мин.

☙ УЖИН ☙

Салат с гренками по-итальянски
(На четыре — шесть порций)

Цукини — 1 шт., салат «айсберг» — 1 кочан, лук репчатый — 2 шт., помидоры — 4 шт., морковь — 1 шт., белый винный уксус — 2 ст. ложки, горчица — 1 ч. ложка, оливковое масло — 6 ст. ложек, постное масло — 3 ст. ложки, белый хлеб — 4 ломтика, соль, черный молотый перец — по вкусу.

Салат вымыть и обсушить. Листья нарвать и разложить по тарелкам. Цукини и морковь нарезать тонкими полосками. Помидоры вымыть, разрезать на дольки. Лук нарезать тонкими кольцами. Выложить овощи на листья салата. Взбить венчиком уксус, оливковое масло, горчицу, соль и перец. Полить этой заправкой овощи. С ломтиков хлеба срезать корочку, нарезать мякоть кубиками и обжарить в постном масле. Высыпать поверх овощного салата.

Сочни с квашеной капустой и грибами
(На четыре — шесть порций)

Мелкорубленая квашеная капуста — 2 стакана, сушеные грибы — 1 стакан, постное масло — 3 ст. ложки, постное тесто (см. стр. 118).

Капусту потушить с маслом. Во время тушения капуста выделяет не совсем приятный запах. Его можно устранить, а также придать особый аромат, добавив в блюдо лавровый лист, немного лимонной цедры или кусочек мускатного ореха. Таким же свойством обладают укропное масло, имбирь и некоторые ароматные травы. Сварить грибы, слить воду, отжать, порубить, смешать с капустой. Раскатать тесто, нарезать как для пельменей. Выложить фарш. Сочень с фаршем сложить пополам, защепить гребешком. Варить в подсоленной воде или на пару.

Подавать с постным маслом.

ЧЕТВЕРГ

ഇ ЗАВТРАК രു

Жареные ньокки (итальянские клецки)
(На шесть порций)

Мука — 500 г, оливковое масло — 500 г, вода — 200—220 г, соль — 10 г, сода — 5 г, горький шоколад, варенье, джем, морская соль, оливки — по вкусу.

Насыпать муку на рабочую поверхность горкой, сделать углубление, добавить соль, соду, влить оливковое масло и теплую воду. Замешивать тесто руками в течение 5 мин. Сформировать тесто в шар, выложить в миску, накрыть влажной салфеткой и дать тесту отдохнуть 1 ч. при комнатной температуре.

Скатать тесто в толстый жгут, нарезать его поперек на несколько частей. Каждую часть раскатать в тонкую лепешку, как для пиццы, но вытянутую в овал. Разрезать широкими полосками (примерно 5 см), затем — наискось, чтобы получились ромбы.

В кипящее оливковое масло положить порциями ромбики из теста. Подрумянившиеся хрустящие ромбики вынуть шумовкой и откинуть на бумажную салфетку. Посыпать морской солью или сахарной пудрой.

И подавать соответственно: сладкие — с шоколадом, вареньем или джемом, а соленые — с оливками.

ൠ ОБЕД ⊂ඔ

Салат с крутонами и сладким перцем
(На три-четыре порции)

Листья зеленого салата — 400 г, черешковый сельдерей — 100 г, красный болгарский перец — 2 шт., апельсины — 2 шт., ростки сои — 75 г, постное масло — 2 ст. ложки, хлеб — 2 ломтика, красный молотый перец — ½ ч. ложки, кокосовое молоко — 4 ст. ложки, апельсиновый сок — 1 ст. ложка, лимонный сок — 1 ст. ложка, чеснок — 1 зубчик, кайенский перец, сахар, соль — по вкусу.

Листья салата очистить, вымыть, обсушить и разорвать на кусочки. Сельдерей вымыть, очистить и порубить. Болгарский перец вымыть, очистить от семян и нарезать кусочками. Апельсины очистить от кожуры и пленок, разрезать на сегменты. Ростки сои откинуть на дуршлаг, обдать кипятком и дать стечь. Для крутонов понадобится хлеб. Его следует нарезать кубиками, обжарить в 1 ст. ложке постного масла, приправить молотым красным перцем, солью, выложить в отдельную емкость. Приготовить заправку: кокосовое молоко смешать с остатками постного масла, соком апельсина и лимона. Зубчик чеснока очистить, измельчить и добавить в соус, посолить, приправить кайенским перцем и щепоткой сахара. Все ингредиенты разложить порционно по тарелкам. Сбрызнуть кокосовой заправкой и посыпать острыми крутонами.

Суп с грибами и диким рисом
(На четыре порции)

Овощной бульон (см. стр. 18) — 2 л, дикий рис — 200 г, сушеные белые грибы — 100 г, постное масло — 4 ст. ложки, черешковый сельдерей — 4 стебля, лук репчатый — 2 шт., шампиньоны — 400 г, соевый соус — 2 ст. ложки, сушеный тимьян — 1 ч. ложка, черный перец крупного помола — 1 ч. ложка, соль.

В отдельную емкость положить сушеные грибы, залить 500 мл кипящей воды и отставить. Рис промыть, положить в кастрюлю и также залить 500 мл кипящей воды и отставить на 1 час. Отстоявшийся рис еще раз помыть, залить горячей водой в соотношении 1:2 и поставить на огонь, довести до кипения, затем убавить огонь, закрыть крышкой и варить 45 мин. Лук очистить, мелко нарезать. Сельдерей вымыть и порубить. В сотейнике разогреть 1 ст. ложку постного масла, положить лук и сельдерей, влить 2 ст. ложки воды и тушить, пока овощи не станут мягкими. Затем переложить их в кастрюлю. В сковороду, где жарились лук и сельдерей, влить 1 ст. ложку постного масла, положить шампиньоны и жарить 10 мин. Переложить их в кастрюлю с сельдереем и луком. Шумовкой вынуть сушеные грибы из жидкости и крупно нарубить, а жидкость пропустить через сито. Добавить белые грибы и жидкость к сельдерейной смеси. Влить туда же бульон, соевый соус, добавить тимьян, перец и дикий рис с оставшейся после варки водой. Довести суп до кипения. Уменьшить огонь, закрыть крышкой и варить 5 мин.

Кабачки, фаршированные гречневой кашей

(На пять порций)

Кабачки — 5 шт., гречневая каша — 500 г, морковь — 5 шт., лук репчатый (некрупный) — 5 шт., постное масло — 6 ст. ложек, зелень — 200 г, соль, черный молотый перец, лавровый лист — по вкусу.

Кабачки помыть, разрезать пополам и удалить сердцевину. Морковь помыть, почистить, натереть на крупной терке. Обжарить в 2 ст. ложках постного масла вместе с мелко нарезанным репчатым луком. Прокалить 200—250 г гречневую крупу на слабом огне 5 мин., добавить 4 ст. ложки постного масла и обжаривать около 4 мин., после чего залить тремя стаканами воды. Отварить гречневую кашу, добавить морковь и лук, перемешать. Заправить кабачки этой массой, уложить в широкую посуду, залить горячей водой, так, чтобы покрыть овощи, добавить соль, перец, лавровый лист по вкусу. Тушить до готовности. Подавать, посыпав зеленью.

Для пятницы на обед маринуем капусту кольраби.

Маринованная капуста кольраби
(На четыре порции)

Капуста кольраби — 2 шт., морковь — 2 шт., черешковый сельдерей — 4 стебля, мини-кукуруза — 12–14 шт., рисовый уксус — 1½ стакана, сахар — ½ стакана, морская соль — 2 ст. ложки, вода — ½ стакана.

Все овощи почистить и нарезать палочками. Для рассола смешать рисовый уксус, соль, сахар и воду, нагреть до полного растворения соли и сахара. Остудить. Залить овощи рассолом. Выдержать в холодильнике сутки.

ഔ УЖИН ༀ

Яблоки, фаршированные сельдереем
(На четыре-пять порций)

Яблоки — 4–5 шт., корень сельдерея — 1 шт., постное масло — 2 ст. ложки, листья зеленого салата — горстка, лимонный сок, соль — по вкусу.

Яблоки помыть, разрезать на половинки, затем удалить мякоть. Сельдерей и мякоть яблок без косточек сварить, нарезать кубиками, перемешать с постным маслом и лимонным соком, посолить по вкусу. Фаршем начинить яблоки и уложить их на листья салата.

Кныши с картофельной начинкой
(На пять порций)

Постное тесто (см. стр. 118) — 400 г, мука для раскатывания теста, кунжутные семечки — по вкусу.

Разделить тесто на 4 части и раскатать пластом толщиной 3 мм. Вырезать из теста квадратики размером 4 см. В центр каждого положить немного начинки. Концы квадратиков собрать к середине и склеить маслом. Можно не склеивать концы, тогда кныши раскроются. Смазать маслом, посыпать кунжутными семечками и выпекать в разогретой до 180 °C духовке примерно 30 мин., пока не подрумянятся.

Начинка

Картофель — 5 шт., лук репчатый — 2 шт., постное масло, соль, черный молотый перец — по вкусу.

Отварить картофель до мягкости. Для того чтобы на старом картофеле при варке не появились синие пятна, нужно долить в воду немного уксуса. Затем размять с постным маслом. Переложить в отдельную емкость. Нагреть в сковороде постное масло и обжарить на нем лук. Добавить к картошке, посолить, поперчить, охладить.

ПЯТНИЦА

☙ ЗАВТРАК ☙

Салат из бананов

(На четыре порции)

Бананы — 400 г, изюм — 100 г, овсяные хлопья (или воздушная кукуруза) — 20 г, постные сливки (см. стр. 25) — 200 мл, лимон — 1 шт., листья зеленого салата — две горстки.

Изюм замочить в воде на 30–40 мин. Бананы нарезать ломтиками толщиной 0,5 см, смешать с овсяными хлопьями (или с воздушной кукурузой) и с изюмом. Постные сливки, лимонный сок и натертую лимонную цедру перемешать и полить этой заправкой салат. Полчаса выдержать. Подать на листьях салата.

Пита с пюре из красного перца с греческим салатом

(На восемь порций)

Средний огурец — ½ шт., листья базилика — 2 ст. ложки, чеснок — 1 зубчик, маслины без косточек — 50 г, консервированный нут — 400 г, красный болгарский перец — 1 шт., салат «айсберг» — ¼ кочана, помидоры черри — 75 г, оливковое масло — 7 ст. ложек, свежая зелень кинзы — 2 ст. ложки, лепешки «пита» — 8 шт.

Сильно разогреть сковороду-гриль. Поместить перец кожицей вверх. Готовить 5–10 мин., пока он местами не подгорит, затем перевернуть и запекать еще 3–5 мин. Положить в полиэтиленовый пакет, слегка остудить и снять кожицу. Чеснок очистить и мелко порубить. Нут слить.

Мякоть перца положить в блендер вместе с нутом, чесноком и 6 ст. ложками оливкового масла. Взбивать до почти полного измельчения. Переложить в миску и охладить. Огурец очистить от семян и порезать кубиками.

Помидоры разрезать на 4 части, маслины — пополам. Листья салата порезать крупно, базилик и кинзу — мелко. Перемешать огурец, помидоры, маслины, салат, масло, кинзу и базилик. Посолить и поперчить. Питу подогреть, разрезать пополам и раскрыть кармашки. Наполнить кармашки пюре и салатом.

◈ ОБЕД ◈

Салат из маринованной капусты кольраби

(На четыре порции)

Маринованная капуста кольраби, приготовленная в четверг (см. стр. 109), зеленые яблоки — 2 шт., салатный микс (микс из листьев салата) — 2 горсти.

Нарезать яблоки. Смешать маринованную капусту кольраби, яблоки и листья салата.

Суп крестьянский с крупой

(На три порции)

Белокочанная капуста — 300 г, картофель — 2 шт., крупа перловая (или рисовая, овсяная, ячневая, пшеничная) — 100 г, репа — 1 шт., морковь — 1 шт., корень петрушки — 1 шт., лук репчатый — 2 шт., томатное пюре — 2 ст. ложки, постное масло — 40 г, овощной бульон (см. стр. 18) — 1 л.

Крупу промыть сначала в теплой, а затем в горячей воде. В кипящий овощной бульон положить подготовленную крупу, нарезанную шашками капусту и картофель, варить до готовности. За 10–15 мин. до окончания варки добавить пассерованные в постном масле овощи и томатное пюре.

Фасоль с грибами

(На четыре порции)

Шампиньоны — 7–10 шт., замороженная стручковая фасоль — 500 г, консервированная красная фасоль — 400 г, лук репчатый — 1 шт., чеснок — 3 зубчика, постное масло, зелень, соль, черный молотый перец — по вкусу.

Грибы вымыть и порезать кольцами. Обжарить на постном масле. Добавить слегка отваренную стручковую фасоль и порезанный кольцами лук. Жарить до тех пор, пока лук не станет мягким. Добавить консервированную фасоль вместе с соком. Выдавить чеснок, посолить и поперчить. Выключить огонь. Накрыть крышкой и настаивать 10–15 мин. Перед подачей посыпать мелко нарезанной зеленью.

ഔ УЖИН ര

Салат «Редисочка»

(На четыре порции)

Морковь — 300 г, редис — 2 пучка, зеленый лук — 1 средний пучок, уксус (или лимонный сок), постное масло — по вкусу.

Вымыть сырую морковь, почистить и натереть на терке. Смешать с нарезанным редисом и луком. Посолить, заправить уксусом или лимонным соком и постным маслом.

Постный наси-лемак

(На три-четыре порции)

Жасминовый рис — 250 г, огурцы — 2 шт., кокосовое молоко — 400 мл, лимонное сорго (лемонграсс) — 2 палочки, арахис — горстка, имбирь — по вкусу.

Вылить кокосовое молоко в кастрюлю, засыпать рис. Добавить слегка помятые палочки лимонного сорго, имбирь. Подавать, положив кусочки очищенного от кожуры огурца и жареный арахис.

СУББОТА

∞ ЗАВТРАК ∞

Крем-паста из маринованного чеснока с лимоном

(На четыре порции)

Маринованный чеснок — 200 г, оливковое масло — 60 мл, лимон — 20 г, горчица — 40 г, сушеный чеснок — 20 г, петрушка, лимонная кислота, сахар, соль — по вкусу, тосты.

Чеснок очистить и выложить в блендер. Лимон помыть и разрезать. Смешать все ингредиенты и измельчить в блендере, подавать с тостами.

Сельдерей жареный

(На четыре порции)

Корень сельдерея — 500 г, соевый соус — 1 ст. ложка, перец горошком — щепотка, лук репчатый, оливковое масло, сахар — по вкусу.

На сковороде разогреть масло и высыпать перец на 2–3 мин., чтобы довести до черноты масло. Затем перец удалить, а на пропитавшемся его запахом масле пассеровать мелко нарезанный лук до полуготовности. Посыпать нарезанный соломкой сельдерей сахаром, для того чтобы вкус стал интереснее. Жарить на большом огне — сельдерей отдаст влагу быстро и начнет карамелизироваться. Добавить соевый соус, перемешать и поджарить. Закрыть крышкой, уменьшить огонь до минимума и тушить 2 мин.

ഔ ОБЕД ര

Салат из томатов с соусом из мангового чатни

(На четыре порции)

Помидоры — 4 шт., зеленый лук — 8 перьев.

Помидоры, соус, зеленый лук положить в банку с завинчивающейся крышкой, как следует потрясти и подать.

Соус

Оливковое масло — 6 ст. ложек, красный винный уксус — 2 ст. ложки, дижонская горчица — 2 ч. ложки, горчичный порошок — 1 ч. ложка, чеснок — 4 зубчика, манговое чатни — 6 ст. ложек, вустерский соус — 4 ст. ложки, кайенский перец — щепотка.

Смешать оливковое масло, горчицу и горчичный порошок, чеснок, чатни, вустерский соус, уксус и кайенский перец.

Манговое чатни

Манго — 1 кг, лайм — 1 шт., свежий имбирь — 20 г, свежая зелень кинзы — 4 г, перец чили — 2 шт., черный молотый перец, соль, сахар — по вкусу.

Вымыть манго, очистить, удалить косточку, порезать на мелкие кубики. Имбирь вымыть, очистить, нарезать кубиками. Кинзу вымыть, мелко нарубить. Перец чили вымыть, порезать.

Лайм разрезать пополам, но прежде прокатить его по доске, нажимая ладонью, и выжать сок. Смешать все ингредиенты, посолить, добавить черный перец, сахар, снова хорошо перемешать и поставить чатни в холодильник на 2 ч.

Суп-пюре из свежей кукурузы
(На четыре порции)

Зерна кукурузы — 300 г, постное масло — 60 г, кокосовое молоко — 900 мл, постные сливки (см. стр. 25) — 300 мл, лук репчатый — 60 г, мука — 30 г, зеленый лук, молотый мускатный орех, черный молотый перец, соль — по вкусу.

Замочить початки кукурузы на 2 ч., чтобы зерна размягчились, отварить в несоленой воде примерно 40 мин., затем зерна отделить и пропустить через мясорубку. Мелко нарезанный репчатый лук обжарить в глубокой сковороде на постном масле до мягкости, добавить муку и жарить еще 5 мин.

Положить в кастрюлю лук с мукой, кукурузу, соль, молотый перец, мускатный орех, влить кокосовое молоко, сливки и довести до кипения.

При подаче суп посыпать мелко нарезанным зеленым луком.

Равиоли из редьки дайкон
(На три-четыре порции)

Редька дайкон — 1 шт., кешью — 1 стакан, лимон — 1 шт., соль — ½ ст. ложки, базилик, томатный соус или песто (см. стр. 180) — по вкусу.

Редьку очень тонко порезать. Выложить на блюдо, посыпать мелкой солью. Оставить на 1–2 ч. Кешью замочить на 1–2 ч., слить воду, в блендере смешать орехи, цедру и сок лимона, базилик, соль.

Выложить начинку на кружочки редьки, сложить пополам и склеить края.

◈ УЖИН ◈

Салат зеленый в маринаде
(На четыре порции)

Листья зеленого салата — 400 г, свежая зелень укропа — 60 г, зеленый лук — 60 г, огурцы — 4 шт., постное масло — 100 мл, уксус — 2 ч. ложки, соль, сахар — по вкусу.

Листья салата промыть, откинуть на сито, высушить полотенцем или салфеткой, порвать.

Добавить порезанные кружочками огурцы.

Двумя вилками перемешать все (ложкой перемешивать салат не следует).

Для соуса смешать постное масло, уксус, соль и сахар. Заправить соусом салат.

Добавить нарезанные зеленый лук и укроп.

Овощное рагу с пшеном
(На четыре порции)

Картофель — 500 г, морковь — 200 г, шампиньоны — 200 г, белокочанная капуста — 200 г, лук репчатый — 2 шт., постное масло — 180 г, крупа пшенная — 200 г, постные сливки (см. стр. 25) — 400 г, зелень, соль — по вкусу.

Картофель и морковь помыть, очистить, нарезать кубиками и по отдельности обжарить.

Лук и грибы спассеровать, капусту помыть, нарезать шашками и припустить в воде.

Пшено залить водой в соотношении 1:3. Сварить рассыпчатую кашу.

Подготовленные овощи и грибы соединить с постными сливками, кашей и тушить.

Подать в горшочке, полив постным маслом и посыпав зеленью.

ВОСКРЕСЕНЬЕ

ಲ ЗАВТРАК ಲ

Салат из печеной свёклы
(На четыре порции)

Свёкла — 3 шт., постное масло — 2 ст. ложки, уксус — 50 мл, укроп или зелень петрушки, соль, черный молотый перец — по вкусу.

Запечь в духовке свёклу при температуре 180 °C не менее 40 мин., иначе она получится твердая.

Очистить, нарезать соломкой, посолить, поперчить, добавить масло, уксус, перемешать и выложить в салатник.

Сверху посыпать зеленью укропа или петрушки.

Салат с капустой кале и заправкой из авокадо
(На три порции)

Капуста кале — 12 листов, яблоки — 3 шт., ядра грецких орехов — 1½ ст. ложки, сок двух лимонов, авокадо — 3 шт., мед — 3 ч. ложки.

У листьев капусты кале удалить срединный жесткий черешок, мелко порвать.

Яблоки нарезать тоненькими дольками.

Орехи измельчить. (Грецкие орехи могут горчить, чтобы избавиться от горечи, надо предварительно замочить их на ночь в воде.)

Авокадо разрезать пополам, удалить косточку, ложкой вынуть мякоть и мелко порезать, добавить лимонный сок. Тщательно перемешать до однородности.

Кале, яблоки и орехи соединить и полить заправкой из авокадо и лимонного сока.

ᴓ ОБЕД ᴕ

Зеленый салат с помидорами и чесноком
(На четыре порции)

Зеленый салат — 2 пучка, помидоры — 4 шт., чеснок — 2 зубчика, горчичный порошок — 1 ч. ложка, винный уксус — 2 ст. ложки, мед, эстрагон, петрушка, укроп, черный молотый перец, соль — по вкусу.

Салат, помидоры и зелень порезать и выложить в салатник. Для соуса смешать горчичный порошок, измельченный чеснок, уксус, пряности, соль, перец, мед и перемешать. Заправить соусом салат и подать.

Ленивые постные щи
(На четыре порции)

Овощной бульон (см. стр. 18) — 2 л, белокочанная капуста — 1 кочан, картофель — 6 шт., мука — 2 ст. ложки, постное масло — 2 ч. ложки, постные сливки (см. стр. 25) — 4—6 ст. ложек, соль — по вкусу.

В кипящий бульон положить мелко нашинкованную капусту и нарезанный картофель. Когда овощи сварятся, добавить поджаренную на масле муку и заправить постными сливками.

Размешивать щи медленными, кругообразными движениями, постепенно расширяя круги: быстрое размешивание замедляет варку.

Самса с тыквой
(На восемь — десять порций)

Постное тесто

Мука — 2 ½ стакана, вода — 1 стакан, соль — ½ ч. ложки, лимонная кислота — ½ ч. ложки, постное масло — 150 г.

В воде растворить лимонную кислоту, поставить стакан в морозилку. Чем холоднее будет вода, тем лучше. Смешать муку и соль, затем влить воду и 100 г масла, перемешать. Замешивать до тех пор, пока тесто не перестанет прилипать к рукам. Затем поместить тесто в пакет и отправить его в морозилку на 30 мин.

Достать тесто, раскатать в большой тонкий пласт. Смазать постным маслом и свернуть в рулет. Разделить тесто вручную на кусочки по 50 г, тонко раскатать круглые сочни. На середину каждого кружочка положить тыквенную начинку, сложить вдвое в форме полумесяца. Края обрезать при помощи колесного лобзика для теста. Самсу обжарить в масле.

Начинка

Тыква — 600 г, постное масло — 200 мл, лук репчатый — 2 шт., вода — 2 стакана, соль — 2 ч. ложки, черный молотый перец — по вкусу.

Тыкву промыть, натереть на крупной терке, посыпать солью и перцем, добавить рубленый лук и воду, потушить до полуготовности.

ઈ УЖИН ભ

Горячая закуска из кабачков и огурцов
(На три-четыре порции)

Кабачок — 1 шт., огурцы — 3 шт., лук репчатый — 1 шт., помидоры — 2 шт. или томатное пюре — 1 ст. ложка, постное масло — 3 ст. ложки, вода — 1 стакан, соль — по вкусу.

Из кабачка удалить семена с внутренней мякотью и пропустить через мясорубку. Кабачок и огурцы нарезать соломкой. Ингредиенты смешать, добавить нарезанные помидоры или томатное пюре, рубленую луковицу, постное масло, воду, соль, довести до кипения и подать.

Морковь, жаренная с сельдереем

(На четыре порции)

Морковь — 500 г, черешковый сельдерей — 200 г, постное масло — 2 ст. ложки, соевый соус — 1 ст. ложка, вода — 0,5 л, зелень петрушки, соль — по вкусу.

Морковь и сельдерей промыть, очистить и нарезать соломкой. В кастрюле вскипятить воду, опустить на 5–10 мин. подготовленные корнеплоды и откинуть на дуршлаг. На сильно разогретую сковороду влить постное масло, положить морковь и сельдерей. Встряхнуть сковороду, пожарить их. Добавить соевый соус, соль. Готовое блюдо выложить в пиалы, посыпать мелко нарезанной зеленью петрушки и подать.

Седмица 5-я
Великого поста

ПОНЕДЕЛЬНИК

ഏ ЗАВТРАК ൚

Огурцы с медом
(На три-четыре порции)

Огурцы — 8 шт., мед — 4 ст. ложки.

Огурцы вымыть и очистить, нарезать ломтиками, уложить веером в салатник. Перед подачей полить медом.

Айвар
(На три-четыре порции)

Болгарский перец — 1 кг, баклажаны — 0,5 кг, постное масло — 150 мл, чеснок — 2 зубчика, перец чили — 1 шт., соль, черный молотый перец, уксус — по вкусу.

Перец чили разрезать вдоль, запечь в духовке вместе с болгарским перцем при температуре 180 °C в течение 40 мин. Переложить перцы в бумажный пакет на 10 мин. Вынуть из пакета, снять с них кожицу и удалить семена. Баклажаны разрезать вдоль, смазать срезы маслом, запечь в духовке до мягкости, остудить и очистить от кожуры. Баклажаны и перцы прокрутить через мясорубку, добавить оставшееся масло, соль, черный перец, уксус и толченый чеснок. Смесь варить на медленном огне до загустения, затем разложить в стеклянные банки, следя за тем, чтобы не было пузырей воздуха, вытереть насухо края банки, залить поверхность постным маслом, закрыть крышкой.

Айвар можно подавать и как закуску, и как самостоятельное блюдо.

◈ ОБЕД ◈

Салат из авокадо с огурцами
(На четыре порции)

Авокадо — 2 шт., огурцы — 2 шт., оливковое масло — 3 ст. ложки, раковые шейки — 430 г, зеленый лук, соус Tabasco, соль, черный молотый перец — по вкусу.

Авокадо помыть, очистить и порезать кубиками. Огурцы помыть и порезать кольцами. Соединить и посыпать мелко нарезанным зеленым луком, заправить оливковым маслом. Добавить раковые шейки.

Для того чтобы неспелый авокадо стал мягким, его нужно посыпать мукой, положить в бумажный пакет, плотно закрыть и выдержать в месте, защищенном от прямых солнечных лучей, при комнатной температуре 2 дня.

Суп фасолевый
(На три-четыре порции)

Овощной бульон (см. стр. 18) — 500 мл, чеснок — 2 зубчика, фасоль в остром соусе чили (или белая фасоль в томатном соусе) — 800 г, постное масло — 2 ст. ложки.

Чеснок очистить и измельчить. Подогреть на сковороде постное масло и обжарить в нем чеснок. Фасоль и чеснок поместить в блендер и измельчить. Перелить смесь в кастрюлю, добавить овощной бульон и вскипятить.

Креветочные котлеты
(На четыре порции)

Очищенные и мелко порезанные креветки — 500 г, картофельное пюре — 500 г, лук репчатый — 4 шт., чеснок — 12 зубчиков, зеленый перец чили — 4 шт., имбирь — 4 кусочка, тмин — 4 ст.

ложки, карри — 2 ст. ложки, порошок куркумы — 4 ст. ложки, овощной бульон (см. стр. 18) — 1½ л, постное масло — 4 ст. ложки, панировочные сухари, специи, соль — по вкусу.

Мелко порезать лук, чеснок, имбирь и перец чили. Нагреть постное масло в кастрюле, всыпать в него зерна тмина. Когда они начнут потрескивать, добавить лук, чеснок, имбирь и чили, жарить до тех пор, пока лук не приобретет золотистый цвет. Добавить креветки, карри и порошок куркумы. Обжарить до полуготовности креветок.

После этого соединить получившуюся смесь с картофельным пюре, приправить специями, посолить. Если смесь получается жидкой, заправить мякишем из белого черствого хлеба, размоченного в овощном бульоне и протертого через сито.

Сформировать круглые котлеты, запанировать в сухарях и жарить на масле до темно-золотистого цвета. Подавать горячим с зеленым салатом или кетчупом.

ℰ УЖИН ℛ

Салат «Кукурузный»

(На три порции)

Консервированная кукуруза — 200 г, шампиньоны — 200 г, картофель — 100 г, помидоры — 100 г, кукурузное масло — 40 г, зеленый лук — 30 г, уксус — 20 г, сахар — 1 ч. ложка, зелень петрушки, черный молотый перец, соль — по вкусу.

Очищенные и промытые грибы отварить до готовности, нарезать соломкой, обжарить и охладить. Отваренный в мундире картофель очистить и нарезать кубиками. Кукурузу смешать с грибами, картофелем, нарезанными ломтиками помидорами, зеленым луком.

Подготовленный салат заправить маслом, уксусом, сахаром, солью, перцем, выложить горкой и посыпать зеленью петрушки.

Свекольные чипсы

(На четыре порции)

Свёкла — 3 шт., чеснок — 2 зубчика, мука — 2 ст. ложки, постное масло — 70 мл, соль крупного помола — по вкусу.

Свёклу помыть, отварить и почистить. Чеснок почистить и измельчить на мелкой терке. Разогреть в сковороде постное масло. Свёклу нарезать кружочками, обвалять в муке и обжарить на разогретой сковороде с двух сторон до образования хрустящей корочки. Выложить на бумажное полотенце и обсушить. Посыпать крупной солью. Выложить на каждый кружочек немного измельченного чеснока и подать.

ВТОРНИК

☙ ЗАВТРАК ☙

Тост с авокадо и персиками

(На три-четыре порции)

Большое спелое авокадо — 1шт., персики консервированные — 1 банка, зерновой хлеб.

Размять мякоть авокадо в пюре. Сделать тост из хлеба. Намазать мякоть авокадо на тост, выложить сверху дольки персика.

Медовый апельсин

(На три порции)

Апельсины — 2 шт., мед — 1 ст. ложка, орехи — 1 ст. ложка, вода — 1 ст. ложка.

Мед развести водой и нагревать на сильном огне примерно 1 мин. Апельсины очистить, разделить на дольки и выложить на тарелку. Посыпать орехами и залить теплой медовой массой.

☙ ОБЕД ☙

Салат из яблок и белокочанной капусты
(На три порции)

Белокочанная капуста — 300 г, корень сельдерея — 50–70 г, яблоко — 1 шт., свёкла — 1 шт., морковь — 1 шт., постное масло — 5 ст. ложек, уксус, соль, сахар — по вкусу.

Капусту мелко нашинковать, положить в кастрюлю, добавить уксус, немного воды, соль, сахар и нагреть, непрерывно помешивая. Не следует перегревать капусту, чтобы она не стала слишком мягкой. Свёклу отварить, натереть на терке. Очищенные морковь, сельдерей, яблоко нарезать соломкой, перемешать с охлажденной капустой, свёклой и заправить маслом.

Суп-лапша с грибами
(На три-четыре порции)

Сушеные грибы — 50 г, картофель — 2–3 шт., лук репчатый — 2 шт., постное масло — 3 ст. ложки, вода — 1½ л, зелень, соль, специи — по вкусу.

Сушеные грибы промыть, размочить, сварить грибной бульон и процедить. Отваренные грибы нарезать соломкой, опустить обратно в бульон и довести до кипения. Картошку нарезать брусочками, положить в грибной бульон и варить до полуготовности. Затем добавить лапшу, обжаренный на масле лук, соль, специи и варить до готовности. Подавать с зеленью.

Лапша

Мука — 1 стакан, вода — 3 ст. ложки, постное масло — 3 ст. ложки, соль — по вкусу.

Муку просеять на доску горкой, сделать углубление, влить масло, посолить и, постепенно вливая воду, замесить тесто. Дать ему настояться 30–40 мин. Раскатать толщиной

2 мм, слегка обсыпать мукой и нарезать полосками шириной 3–4 см, которые, в свою очередь, нарезать соломкой. Лапшу подсушить.

Пастила с морепродуктами
(На три порции)

Постное дрожжевое тесто — 500 г, размороженные морепродукты — 300 г, очищенные креветки — 200 г, оливковое масло — 4 ст. ложки, рисовая лапша — 200 г, чеснок — 1 зубчик, зелень кинзы — 30 г, сок лимона — 2 ст. ложки, тмин— ½ ч. ложки, маринованный имбирь — 10 г, шафран — щепотка, постное масло — 6 ст. ложек, соль — 1 ч. ложка.

Размороженные морепродукты и креветки обжаривать в 2 ст. ложках оливкового масла около 5 мин., добавить отваренную лапшу и перемешать начинку. Смешать лимонный сок, чеснок, кинзу, тмин, соль, измельченный имбирь, шафран и оливковое масло, заправить соусом начинку. Форму смазать постным маслом, положить в нее пергаментную бумагу. На нее выложить пласт теста, смазанного маслом, на тесто — начинку, прижать края к верхушке, скрепить и смазать маслом. Форму поставить в разогретую до 200 °C духовку на 20 мин.

✎ УЖИН ✎

Огуречник
(На четыре порции)

Соленые огурцы — 2–4 шт., шампиньоны — 200 г, лук репчатый — 2 шт., постное масло, соль — по вкусу.

Грибы отварить, нарезать тонкой соломкой, смешать с поджаренным на постном масле луком и охладить. Соленые огурцы нарезать тонкой соломкой, смешать с луком и грибами.

Подавать на широких плоских блюдах.

Лакса с креветками

(На три-четыре порции)

Тигровые креветки без голов — 600 г, лапша — 350 г, имбирь — 5 см, листья лиметты (можно заменить на цедру лимона, лайма или грейпфрута) — 6 шт., лук-шалот — 3 шт., постное масло — 2 ст. ложки, чеснок — 2 зубчика, порошок куркумы — ½ ч. ложки, зеленая паста карри — 2 ст. ложки, кокосовое молоко — 800 мл, стручки замороженного зеленого гороха — 250 г, помидоры — 6 шт., зелень — по вкусу.

Очистить креветки. Положить панцири креветок, имбирь, порезанный на тонкие кусочки, и листья лиметты или цедру цитруса в кастрюлю, добавить 425 мл воды. Довести до кипения и готовить 1 мин. Слить и сохранить бульон. Нагреть масло в сковороде Вок на слабом огне, обжарить мелко порезанный лук в течение 3 мин. Добавить раздавленный чеснок, куркуму и обжаривать 2 мин. Добавить пасту карри и обжаривать 2 мин. Добавить бульон и довести до кипения, влить кокосовое молоко. Уменьшить огонь и тушить 15 мин. Добавить креветки и тонко порезанные стручки гороха, готовить 3 мин. Затем добавить очищенные от семян и мелко порезанные помидоры, готовить еще 2 мин. Отварить лапшу по инструкции на упаковке. Слить и положить на блюдо. Перелить кокосовый бульон в сервировочную тарелку. Подать лаксу в глубоких тарелках, положив в каждую тарелку порцию лапши и залив бульоном, сверху посыпать зеленью.

СРЕДА

ઈ ЗАВТРАК ભ

Каша перловая с кальмарами

(На три-четыре порции)

Перловая крупа — 1 стакан, кальмары — 150 г, лук репчатый — 1 шт., морковь — 100 г, постное масло — 25 г, соль — по вкусу.

Кальмары залить кипятком и держать в воде, пока она не остынет. Затем очистить от пленки и промыть под холодной водой. Нарезать соломкой и пассеровать в масле 5 мин. Морковь помыть, очистить, натереть на крупной терке. Лук почистить и мелко нарезать. Пассеровать морковь и лук в масле. Крупу прокалить на сковороде, засыпать в кастрюлю, залить кипятком в соотношении 1:2,5 и дождаться, пока перловка разбухнет.

Варить на медленном огне под крышкой до готовности. Добавить пассерованные кальмары и овощи, посолить и перемешать.

๑ ОБЕД ๛

Салат из цикория

(На три-четыре порции)

Цикорный салат — 4 шт., яблоки — 4 шт., груши — 2 шт., бананы — 2 шт., засахаренные орехи — 100 г.

Нарезать цикорный салат кольцами и положить в салатницу. Яблоки, груши, бананы очистить и нарезать кубиками. Орехи измельчить. Добавить к цикорию и перемешать. Перед подачей залить салат соусом.

Соус

Кукурузное масло — 6 ст. ложек, лимонный сок — 4 ст. ложки, винный уксус — 2 ст. ложки, мед — 2 ч. ложки, горчица — 3 ч. ложки, соль, черный молотый перец — по вкусу.

Смешать все ингредиенты.

Суп рассольный

(На три порции)

Капустный рассол — 1 л, лук-порей — 250 г, квашеная капуста — 200 г, постное масло — 1 ст. ложка, красный молотый перец — щепотка.

Смешать рассол с мелко порезанными луком-пореем и квашеной капустой. Добавить постное масло и перец.

Рисовая вермишель с овощами и раковыми шейками

(На три-четыре порции)

Тонкая рисовая вермишель — 500 г, постное масло — 4 ст. ложки, лук репчатый — 2 шт., красный болгарский перец — 2 шт., морковь — 2 шт., белокочанная капуста — 200 г, соль — ½ ч. ложки, черный молотый перец — ¼ ч. ложки, соевый соус — 4 ст. ложки, раковые шейки — 200 г.

Лук и перец помыть, нарезать крупными кубиками. Морковь помыть, очистить, натереть на терке. Капусту помыть и нашинковать. Налить воду в большую кастрюлю, посолить, довести до кипения. Положить вермишель и варить 2 мин., слить воду. Перемешать вермишель с 1 ст. ложкой постного масла. Разогреть в глубокой сковороде остальное масло и жарить лук 2 мин.

Добавить перец, морковь и капусту. Перемешать и жарить еще 2 мин. Положить вермишель, соль и перец. Добавить раковые шейки. Тушить еще 2 мин. Добавить соевый соус. Перемешать.

ൠ УЖИН ൠ

Салат с корейской морковью

(На четыре порции)

Морковь по-корейски — 50 г, огурцы — 2 шт., помидоры — 1 шт., фасоль консервированная — 200 г, постный майонез (см. стр. 139), соль — по вкусу.

Огурцы и помидор порезать дольками. В салатницу положить морковь по-корейски, консервированную фасоль, предварительно откинутую на ситечко, огурцы и помидор. Заправить майонезом, посолить. Все перемешать и подать.

Шашлык из овощей

(На четыре порции)

Баклажаны — 1 шт., красный болгарский перец — 1 шт., зеленый болгарский перец — 1 шт., желтый болгарский перец — 1 шт., кабачки — 1 шт., помидоры — 4 шт., лук красный — 1 шт., шампиньоны — 8 шт., лимонный сок, постное масло, черный молотый перец, соль — по вкусу.

Деревянные шампуры замочить в теплой воде на 10 мин., обсушить. Вымыть овощи. У перцев удалить сердцевину и разрезать пополам. Лук очистить от шелухи и разделить на 4 части. Кабачок нарезать толстыми кружочками. У помидоров удалить плодоножки. Овощи сложить в отдельную емкость. Добавить масло, лимонный сок, черный молотый перец. Оставить мариноваться на 30 мин. Нанизать овощи на шампуры, выложить на разогретую сковороду-гриль. Полить шашлыки оставшимся маринадом. Запекать 10 мин., переворачивая.

ЧЕТВЕРГ

ЗАВТРАК

Жаворонки

(Восемь — двенадцать шт.)

Мука — 1 кг, дрожжи — 25 г, постное масло — 125 г, сахар — ½ стакана, вода — 250 мл, соль — щепотка.

Просеять муку, добавить сахар, соль, масло. В теплой газированной воде развести дрожжи. Добавить воду с дрожжами в тесто. Замешать, накрыть полотенцем и поставить в теплое место на 1 ч. Из куска выбродившего теста раскатать валик, нарезать его на куски массой примерно 100 г. Затем так раскатать жгуты, чтобы один конец — головка — был тонким и гибким, а все тело — потолще, удлиненное, его надо слегка примять пальцами. Завязать узлом, головке придать соответствующую форму. Слегка примять пальцами хвостик, веерообразно надрезать ножиком, сделать надрезы-перышки. Для крылышек тесто тонко раскатать, вырезать крылышко, надрезать перышки, прикрепить к телу; последняя деталь: изюминки — глазки. Смазать жаворонки настоем крепкого чая с сахаром, испечь.

৪০ ОБЕД ৫

Свёкла, фаршированная яблоками, рисом и изюмом
(На четыре порции)

Свёкла — 2–4 шт., яблоки — 1 шт., рис — 4 ст. ложки, изюм — 50 г, постное масло — 2 ч. ложки, сахар — 1 ч. ложка, корица — на кончике ножа.

Свёклу отварить или запечь, очистить и ложкой удалить сердцевину, придав свёкле вид чашки. Из риса сварить рассыпчатую кашу. Для этого рис надо перебрать, промыть холодной водой, облить кипятком, дать стечь. Затем засыпать его в подсоленную кипящую воду в соотношении 1:2 и варить на сильном огне примерно 3 мин., потом уменьшить нагрев, плотно закрыть кастрюлю крышкой и варить кашу при умеренном нагреве еще несколько минут до набухания крупы.

Смешать рисовую кашу с сахаром, изюмом и мелко нашинкованным яблоком. Затем добавить 1–2 ч. ложки постного масла и корицу. Все это вымешать, нафаршировать свёклу и запекать в разогретой до 180° духовке 30 мин.

Суп из чечевицы
(На три-четыре порции)

Лук репчатый — 2 шт., чечевица — 300 г, соленые огурцы — 5 шт., чеснок — 5 зубчиков, вода — 2 л.

Лучше всего готовить супы из красной чечевицы, так как она хорошо разваривается и быстрее готовится. Отварить чечевицу на небольшом огне. Добавить измельченный лук и чеснок. Посолить. В готовый суп добавить огурцы.

Флаутас де камеронос
(На три порции)

Пшеничные лепешки — 6 шт., крабовое мясо — 200 г, жареные маринованные креветки — 200 г, гуакомоле — 200 г, помидоры — 2 шт., постное масло, салат «лолло-росса» — по вкусу.

Креветки разрезать вдоль. Лепешки смазать соусом гуакомоле, выложить мелко нарезанное мясо краба и половинки креветок. Лепешки свернуть в трубочки и жарить на постном масле в течение 3 мин. с каждой стороны. Готовые трубочки украсить салатом «лолло-росса» и помидорами, нарезанными кубиками.

Гуакомоле

Авокадо — 1 шт., лук репчатый — ½ шт., перец чили — 1 шт., лайм — ½ шт., кинза — 3 веточки, соль — щепотка.

Овощи помыть. Лук перетереть с солью, перец чили нарезать кольцами. Выдавить из лайма сок. Авокадо освободить от косточки, снять кожуру. Измельчить с помощью ножа, вилки или блендера. Добавить сок лайма для сохранения цвета. Соединить все компоненты, тщательно размешать.

Для субботы на обед готовим голубцы.

Голубцы
(На четыре порции)

Белокочанная капуста (пекинская, савойская) — 1 шт., морковь — 3 шт., чеснок — 3 зубчика, соль — 1 ст. ложка, специи — по вкусу.

Выбрать плотный, ровный и без потрескавшихся листьев кочан капусты. Разобрать на листья: срезать кочерыжку и надрезать места соединения листьев с основанием, поместить капусту под струю воды, нащупать место соединения листа с кочерыжкой и отделить его от кочана, пустить воду внутрь, расшатать лист, пока он не отделится. Промыть листья и отварить в кипятке 3—5 мин. Для начинки морковь натереть на крупной терке, подавить чеснок и добавить в начинку вместе со специями. Все хорошо перемешать. На каждый капустный лист выложить начинку и завернуть. Для рассола развести 1 ст. ложку соли в 1 л воды и довести до кипения.

Голубцы выложить в кастрюлю и залить кипящим рассолом так, чтобы он покрыл их. Сверху придавить голубцы грузом и оставить мариноваться на два дня.

ஐ УЖИН ஐ

Салат из груш с орехами
(На четыре порции)

Груши — 4 шт., грецкие орехи — 10—12 шт., соленый огурец — 1 шт., постные сливки (см. стр. 25) — 3 ст. ложки.

Каждую грушу разрезать на две части, вынуть сердцевину. Грецкие орехи очистить, освободить от пленки, для чего на 10—15 мин. положить в кипяток. В каждую половинку груши положить кусочки ядер орехов, полить постными сливками, посыпать мелко нарубленным соленым огурцом.

Полые макароны с кальмарами
(На три порции)

Макароны из твердых сортов пшеницы, биголи — 300 г, очищенные кальмары — 300 г, оливковое масло — 5 ст. ложек или вода — 1 стакан, лук репчатый — 1 шт., чеснок — 2 зубчика, измельченная зелень петрушки — 2 ст. ложки, соль — по вкусу.

Отварить макароны. В глубокой кастрюле нагреть воду или оливковое масло, измельченный лук, чеснок и петрушку. Добавить кальмары и пассеровать. Нафаршировать макароны кальмарами, положить в форму для запекания. В разогретой духовке запечь до золотистого цвета.

ПЯТНИЦА

ஐ ЗАВТРАК ௧

Пудинг из нута
(На четыре порции)

Белый нут — 100 г, вода — 3 стакана, сахар — 500 г, постное масло — 25 г, кешью — 25 г, изюм — 25 г, кокосовое молоко — 250 мл, вареная морковь, вареный рис — по желанию.

Нут замочить на 4—6 часов в воде комнатной температуры. Промыть и сварить в воде, затем добавить сахар, кокосовое молоко, кипятить 5—10 мин. Добавить кешью и изюм, обжаренные в постном масле. Можно положить в нутовый пудинг вареные морковь и рис.

ஐ ОБЕД ௧

Салат из разных видов капусты
(На пять-шесть порций)

Нашинкованная белокочанная капуста — 3 стакана, нашинкованная краснокочанная капуста — 2 стакана, морковь — 1—2 шт., свёкла — ½ шт., лимонный сок, соль — по вкусу.

Морковь и свёклу натереть на терке, соединить с капустой. Добавить соль, полить лимонным соком и перемешать.

Крем-суп из сладкого перца
(На четыре порции)

Овощной бульон (см. стр. 18) — 1 л, красный болгарский перец — 1 кг, помидоры — 4 шт., лук репчатый — 1 шт., чеснок — 2 зубчика, оливковое масло — 2 ст. ложки, розмарин — 1 веточка, лавровый лист — 2 шт., томатная паста — 4 ст. ложки, базилик — 2 веточки, соль, молотая паприка, сахар — по вкусу.

Перец вымыть, очистить, удалить семена и нарезать кусочками. Помидоры обварить кипятком, снять кожицу, разрезать на четвертушки и удалить семена с помощью маленькой ложечки, мякоть мелко порубить. Репчатый лук и чеснок очистить и нарезать мелкими кубиками. В кастрюле разогреть масло и пассеровать в нем до прозрачности репчатый лук, постоянно помешивая. Розмарин вымыть, обсушить и вместе с чесноком и лавровым листом добавить к луку, слегка обжарить. Добавить болгарский перец, помидоры, влить бульон и довести до кипения. Затем тушить при слабом кипении 10—15 мин. Розмарин и лавровый лист удалить, измельчить суп в пюре с помощью блендера. Посолить, приправить молотой паприкой и сахаром. Базилик вымыть, оборвать листики. Разлить суп по тарелкам и украсить базиликом.

Жареные кальмары с перечным джемом и постными сливками

(На четыре порции)

Кальмары — 1 кг, мука — 200 г, постные сливки (см. стр. 25) — 400 мл, кокосовое молоко — 250 мл, крошки белого хлеба — 200 г, соль — 1 ст. ложка, оливковое масло — по вкусу.

Отобрать мелкие тушки кальмаров с белым мясом (такие кальмары слаще), очистить, порезать вдоль и пополам. Подготовить три емкости: в первой смешать муку и соль, во вторую налить кокосовое молоко, в третью высыпать хлебные крошки.

Обвалять кальмары в соленой муке, окунуть в кокосовое молоко, затем обвалять в хлебных крошках. Положить кальмары на бумагу и дать обсохнуть.

Наполнить сковороду оливковым маслом наполовину, разогреть до 190 °C. Обжаривать кальмары в масле в течение 2 мин. до золотисто-коричневого цвета. Наполнить небольшие горшочки постными сливками, сверху положить перечный джем. Каждый горшочек поставить на тарелку, накрыть бумажным полотенцем, окружить кальмарами и несколькими лимонными дольками. Сразу же подать.

Перечный джем

Лук репчатый — 1 шт., красный болгарский перец — 2 шт., помидоры — 420 г, перец чили — 10 шт., оливковое масло — 1 ст. ложка, лимон — 3 шт., сахар — 75 г.

Лук мелко нарезать. Болгарский перец очистить и нарезать. Перец чили нарезать вдоль и пополам, очистить от семечек. Помидоры измельчить в блендере. Лимон нарезать дольками. Лук и красный болгарский перец потушить в оливковом масле в течение 5 мин. Добавить сахар и помидоры, посолить, добавить перец чили и готовить 40 мин., пока смесь не станет похожей на джем.

ஐ УЖИН ௧

Хлебный салат с помидорами
(На четыре порции)

Помидоры — 400 г, огурцы — 1 шт., красный репчатый лук — 1 шт., чеснок — 1 зубчик, белый хлеб — 4 ломтика, уксус — 2½ ст. ложки, зеленый лук — 2 пера, базилик — ½ пучка, петрушка — ½ пучка, оливковое масло — 4 ст. ложки, каперсы — 2 ч. ложки, соль, черный молотый перец — по вкусу.

Нарезать ломтики хлеба для тостов крупными кубиками. В 100 мл холодной воды развести ½ ст. ложки уксуса и сбрызнуть хлеб, чтобы он сохранил форму. Зеленый лук вымыть и нарезать, помидоры нарезать дольками. Огурец вымыть, разрезать вдоль, вынуть семена, затем нарезать ломтиками. Репчатый лук нашинковать. Зелень вымыть, обсушить и измельчить. Смешать масло с уксусом, поперчить и посолить. Чеснок пропустить через пресс и добавить в маринад. Смешать с зеленью, овощами и каперсами, добавить кубики хлеба, перемешать и убрать в холодильник на 1 ч. Перед подачей на стол еще раз посолить и поперчить.

Овощи с кускусом
(На четыре порции)

Кускус — 400 г, баклажаны — 1 шт., морковь — 2 шт., лук репчатый — 1 шт., протертые помидоры — 500 г, чеснок — 1 зубчик, перец чили — 1 шт., цукини — 1 шт., овощной бульон (см. стр. 18) — 650 мл, бальзамический уксус — 2 ст. ложки, постное масло — 3 ст. ложки, оливковое масло — 3 ст. ложки, мята — 4 веточки, сахар — ½ ч. ложки, тмин — 2 щепотки, молотая корица — 1 ч. ложка.

Очистить и порубить лук и чеснок. Из перца удалить семена, вымыть и вместе с листьями мяты нарезать полосками. Оставшиеся овощи очистить. Баклажан нарезать ломтиками, посолить. Морковь нарезать кружочками, а цукини — брусочками.

Довести до кипения около 400 мл бульона с 1 ст. ложкой постного масла. Кускус всыпать в бульон и дать настояться в течение 6–7 мин. Обжарить лук, перец с мятой и чеснок в 2 ст. ложках постного масла.

Обсушить кусочки баклажана салфеткой, вместе с морковью и цукини выложить в сковороду, потушить, помешивая, 1–2 мин.

Влить в сковороду 100 мл воды.

Затем добавить протертые помидоры, бальзамический уксус и оставшийся бульон. Приправить сахарным песком, тмином, солью и корицей. Тушить 7 мин.

Добавить в кускус оливковое масло, приправить овощное рагу пряностями.

СУББОТА

෨ ЗАВТРАК ෬

Постный оливье
(На четыре порции)

Кисло-сладкие яблоки — 2 шт., огурцы — 2 шт., маленькие кабачки — 2 шт., зеленый консервированный горошек (или размороженный) — 2 стакана, семечки подсолнуха — 1 стакан, мелко нарезанный лук — 1 стакан, зелень, постный майонез — по вкусу.

Яблоко, огурцы, кабачки почистить и порезать на мелкие кубики. В большой миске смешать с горошком, семечками, и луком. Заправить салат постным майонезом, перемешать. Перед подачей поставить салат в холодильник на 30 мин., украсить свежей зеленью.

Постный майонез

Кешью — 1 стакан, лимоны — 1 шт., яблочный уксус — 1 ст. ложка, соль — ½ ч. ложки, молотая горчица — 1 ст. ложка, вода — ¾ стакана.

Все ингредиенты смешать в блендере до однородной консистенции.

෨ ОБЕД ෬

Луковая икра по-рязански
(На три-четыре порции)

Лук репчатый — 400 г, помидоры — 2 шт. или томатная паста — 1 ч. ложка, постное масло — 4 ст. ложки, петрушка, соль, черный молотый перец — по вкусу.

Репчатый лук очистить, ополоснуть водой, мелко нарезать и обжарить до золотистого цвета. Добавить мелко нарезанные помидоры или томатную пасту, соль, перец, накрыть крышкой и потушить на слабом огне 10 мин. Перед подачей охладить, украсить зеленью петрушки и кольцами лука. Подавать с тостами, хлебцами или хлебом.

Суп по-неаполитански
(На четыре порции)

Очищенные кальмары — 500 г, белокочанная капуста — 200 г, оливковое масло — 50 г, лук репчатый — 1 шт., измельченная петрушка — 2 ст. ложки, измельченный черешковый сельдерей — 2 ст. ложки, томатная паста — 2 ст. ложки, морковь — 1 шт., лимон — 2 шт., хлебные гренки, зелень, соль, черный молотый перец — по вкусу.

Кальмары нарезать колечками. Репчатый лук нашинковать полукольцами и обжарить на среднем огне в оливковом масле до золотистого цвета.

Добавить колечки кальмара, петрушку и сельдерей, нарезанную кружочками морковь, предварительно поломанные листья капусты и томатную пасту. Пассеровать, пока овощи не дадут сок. Залить обжаренную заправку 1 л воды, перемешать и варить на медленном огне до готовности овощей. Приправить специями. Перед подачей из одного лимона выжать сок и добавить его в суп, украсить каждую порцию дольками второго лимона и свежей зеленью. Подавать с хлебными гренками.

Голубцы
Подать голубцы, приготовленные в четверг (см. стр. 133).

✥ УЖИН ✥

Салат из артишоков, фасоли и помидоров
(На четыре-пять порций)

Картофель — 500 г, замороженная стручковая зеленая фасоль — 250 г, помидоры черри — 300 г, зеленый лук — 2 пера,

консервированные артишоки — 4 шт., маслины — 50 г, оливковое масло — 5 ст. ложек, бальзамический уксус — 3 ст. ложки,
зелень, соль, перец — по вкусу.

Картофель отварить в мундире. Стручки фасоли разрезать пополам, отварить 10 мин., затем откинуть на дуршлаг.
Картофель очистить от кожуры и крупно нарезать, помидоры
разрезать пополам.

Зеленый лук нарезать кольцами. Артишоки откинуть на
сито и разрезать на 4 части. Перемешать все овощи с маслинами.

Бальзамический уксус смешать с оливковым маслом,
посолить и поперчить. Заправить салат и дать настояться
30 мин.

Украсить зеленью.

Айнтопф овощной

(На четыре-пять порций)

*Крупа пшеничная (предварительно замоченная на ночь в 2 ста-
канах воды) — 150 г, лук репчатый — 250 г, морковь — 500 г,
корни сельдерея — 500 г, овощной бульон (см. стр. 18) —
2 стакана, лук-порей — 500 г, шампиньоны — 200 г, замороженный горошек — 125 г, зелень — 1 пучок, вода — 2 стакана,
постное масло — 75 г, тертый мускатный орех, соль, черный
молотый перец — по вкусу.*

Репчатый лук очистить и нарезать кубиками, остальные
овощи очистить, вымыть и нарезать тонкими полосками.
Масло разогреть в кастрюле, лук и нарезанные овощи слегка обжарить, добавить пшеницу с водой, в которой она была
замочена, и овощной бульон. Айнтопф приправить солью
и перцем, варить на медленном огне 25 мин. Шампиньоны
нарезать кружочками и вместе с горошком добавить к овощам и крупе, варить около 3 мин.

В завершение посыпать айнтопф мускатным орехом, при
необходимости посолить и поперчить. Перед подачей украсить овощной айнтопф зеленью.

ВОСКРЕСЕНЬЕ

ഏ ЗАВТРАК ൦൦

Рисовая каша с ананасом и киви

(На три порции)

Рис — 250 г, ананасы (небольшого размера) — 1 шт., киви — 200 г, мед — 2 ст. ложки, лимон — 1 шт., кокосовое молоко — 1 л, фруктоза — 2 ст. ложки, семечки кунжута — 2 ч. ложки, молотая корица — 1 ч. ложка, мята, соль — по вкусу.

Очистить ананас, вырезать сердцевину, мякоть нарезать дольками. Очистить киви и порезать кружочками. Перемешать мед и выжатый из лимона сок, добавить дольки ананасов и отставить на 30 мин. Налить в кастрюлю кокосовое молоко, добавить корицу, фруктозу, цедру лимона и немного посолить. Вскипятить. Всыпать в кастрюлю рис, варить 30 мин. Остудить. Обжарить семена кунжута до золотистого цвета. Разложить кашу по тарелкам, добавить маринованные дольки ананаса, перемешать. Перед подачей украсить кружочками киви, мятой и кунжутом.

При выборе ананаса надо обратить внимание на зеленый «хохолок». Он должен быть густым и красивым, а листья — плотными. При этом у зрелого плода листики отрываются быстро и без усилий. Кожура должна быть коричнево-желтой или с легким зеленоватым оттенком. Если она полностью коричневая, значит, ананас переспел.

ഏ ОБЕД ൦൦

Салат из авокадо с помидорами

(На четыре порции)

Авокадо — 2 шт., помидоры черри — 12 шт., шампиньоны — 6 шт., лимоны — 2 шт., соль, черный молотый перец, оливковое масло — по вкусу.

Мякоть авокадо нарезать кубиками, помидоры — половинками. Со шляпок шампиньонов снять кожицу и нарезать. Все перемешать. Для приготовления соуса смешать сок лимонов, соль, перец и оливковое масло. Салат выложить на тарелку, полить соусом.

Морковный суп с апельсинами

(На три-четыре порции)

Овощной бульон (см. стр. 18) — 1 л, морковь — 500 г, апельсины — 4 шт., лук репчатый — 2 шт., кокосовое молоко — 100 мл, постное масло — 1 ст. ложка, лавровый лист — 1 шт., подсластитель — несколько капель, зелень петрушки, соль, красный молотый перец — по вкусу.

Лук очистить, нарезать кубиками, спассеровать в постном масле. Добавить лавровый лист. Морковь очистить и нашинковать кубиками, добавить к луку. Влить бульон. Накрыть крышкой, тушить 30 мин. Из трех апельсинов выжать сок. Вынуть из кастрюли лавровый лист. Морковь измельчить в пюре толкушкой прямо в бульоне. Заправить суп апельсиновым соком и довести до кипения. Посолить, приправить красным молотым перцем, капнуть подсластителя. Добавить кокосовое молоко. Оставшийся апельсин очистить. Суп разлить по тарелкам, украсить дольками апельсина и петрушкой.

Рис с чесноком, креветками и рукколой

(На четыре порции)

Жасминовый рис — 500 г, вода — 4 стакана, креветки — 500 г, рисовый уксус — 100 г, кунжутное масло — 50 мл, лимоны — 2 шт., чеснок — 10–13 зубчиков, рыбный соус Sen Soy — 3 ст. ложки, руккола — 100 г, зелень кинзы — 50 г, соль — по вкусу.

Отварить рис до полуготовности примерно 10–12 мин., посолить. В сковороду Вок налить кунжутное масло и обжарить мелко нарезанный чеснок, добавить выжатый из лимонов сок, рыбный соус, рисовый уксус, креветки. Тушить до тех пор, пока бульон не начнет кипеть, затем немного убавить огонь, но так, чтобы он продолжал кипеть. Рис вместе с оставшейся после его варки водой положить в сковороду, добавить рукколу и кинзу. Накрыть крышкой, выключить огонь и дать настояться 2—3 мин.

෨ УЖИН ☙

Салат с сырыми шампиньонами
(На три порции)

Руккола — 250 г, шампиньоны — 200 г, болгарский перец — 1 шт., помидоры черри — 200 г, оливковое масло — по вкусу.

Промытые листья рукколы и порубленные шампиньоны сложить в салатницу. Добавить нарезанный соломкой болгарский перец, помидоры черри и полить салат маслом. Закуску можно подать в виде сердечек, для этого лучше всего подойдут сливовидные помидоры черри. Их необходимо нарезать под углом 45°. Соединить две половинки в сердечко, закрепить зубочисткой.

Африканское карри
(На три порции)

Цветная капуста — 250 г, морковь — 2 шт., зеленая фасоль — 250 г, болгарский перец — 1 шт., сухая курага (предварительно замоченная на 6 часов) — 200 г, постное масло — 3 ст. ложки, свежий имбирь — кусочек, чеснок — 2 зубчика, лук репчатый — 1 шт., куркума — 1 ч. ложка, карри — 2 ч. ложки, соль — ½ ч. ложки, вода — ½ стакана.

Курагу обсушить. Лук мелко порезать. Имбирь измельчить, чеснок раздавить. Разогреть масло и быстро обжарить имбирь и чеснок. Добавить лук, тушить 5 мин. (до прозрачности). Размешать куркуму с солью и карри, добавить воду. Цветную капусту, морковь, болгарский перец и фасоль порезать, смешать с курагой, луком и пряностями. Тушить 20 мин. на слабом огне.

Седмица 6-я
Великого поста

ПОНЕДЕЛЬНИК

෨ ЗАВТРАК ෧

Тартар из трех лепестков
(На четыре порции)

Авокадо — 240 г, цукини — 200 г, болгарский перец — 200 г, баклажаны — 120 г, помидоры — 4 шт., базилик — 4 веточки, красный базилик — 8–12 листиков, чеснок — 4 зубчика, зелень (шпинат или руккола) — горсть, соус Tabasco — 8 капель, оливковое масло, лук-шалот, бальзамический уксус, лимонный сок, соль, перец — по вкусу.

Первый лепесток. Перец, баклажан и цукини нарезать крупными дольками и замариновать в оливковом масле на несколько минут. Затем обжарить на сковороде-гриль и нашинковать. Когда остынет, добавить соль, перец, базилик, соус. С помощью формы выложить на тарелку в виде лепестка.

Второй лепесток. Авокадо порубить мелкими кубиками, приправить лимонным соком, оливковым маслом, солью и перцем. Выложить на тарелку в виде лепестка и украсить базиликом.

Третий лепесток. Ошпарить помидоры кипятком, снять кожуру, разделить на 4 части и удалить семена с помощью маленькой ложки. Нарезать мякоть кубиками. Получили томат конкассе. Чеснок мелко порубить, обжарить на оливковом масле 1 мин. Обсушить на салфетке. В этой же сковороде жарить 1 мин. шпинат, затем салфеткой удалить с него излишки масла и измельчить. Смешать с конкассе из помидора, приправить соусом Tabasco и рубленой зеленью. Выложить на тарелку в виде лепестка.

ᴇᴑ ОБЕД ᴄᴂ

Баклажаны с грибами
(На четыре порции)

Грибы вешенки — 600 г, баклажаны — 2 шт., лук репчатый — 2 шт., болгарский перец — 2 шт., оливковое масло — 4 ст. ложки, чесночный соус — по вкусу.

Измельчить лук и грибы. Очищенные баклажаны разрезать вдоль и вынуть мякоть. Лук и грибы обжарить на масле. Мякоть баклажанов смешать с луком и грибами, этой массой заполнить «лодочки» баклажанов. Поставить запекать в духовку, разогретую до 180 °С на 30 мин. Подавать с чесночным соусом и со свежим болгарским перцем.

Чесночный соус

Просеянная пшеничная мука — 4 ст. ложки, постное масло — 4 ст. ложки, чеснок — 8–10 зубчиков, вода — 1 л, соль, черный молотый перец — по вкусу.

Очистить чесночные зубчики от кожуры, промыть, обсушить бумажным полотенцем и переложить в маленькую пиалу. В сотейник налить масло и поставить на плиту. Когда масло раскалится, добавить муку и, помешивая венчиком, обжарить муку в течение 1–2 мин., так, чтобы она приобрела легкий золотистый оттенок. Вскипятить в чайнике воду, влить в сотейник кипяток, продолжая помешивать, довести до кипения и загустения. Чеснок пропустить через пресс в сотейник, добавить соль и черный молотый перец.

Яблочный суп
(На три порции)

Вода — 1 л, яблоки — 500 г, манная крупа — 2 ст. ложки, сахар — 40 г, мелисса — 1 веточка.

Яблоки помыть, удалить сердцевину, нарезать кусочками, добавить маленькую веточку мелиссы для аромата и поварить в 750 мл воды 15–20 мин. Процедить и еще раз проварить 10 мин. Готовый суп соединить с манной крупой, разведенной в остатке холодной воды, варить еще 15–20 мин., постоянно помешивая, чтобы не образовалось комков, положить сахар. Снять кастрюлю с огня. Готовый суп перелить в блендер и взбить до пышности.

Запеченные овощи с паприкой
(На четыре порции)

Морковь — 2 шт., цветная капуста — 1 кочан, брокколи — 1 шт., красный болгарский перец — 2 шт., шампиньоны — 400 г, постные сливки (см. стр. 25) — 200 мл, молотая паприка — 1 ст. ложка, постное масло — 2 ст. ложки, зелень, соль, черный молотый перец — по вкусу.

Морковь очистить, нарезать кружками, выложить на противень, смазанный маслом. Брокколи и цветную капусту разделить на соцветия, выложить поверх моркови. Сладкий перец и грибы нарезать кубиками, добавить к овощам. В постные сливки добавить соль, перец, паприку, перемешать, полить овощи и грибы. Перемешать, закрыть фольгой, поставить в духовку на 30–40 мин. Перед подачей можно посыпать мелко порубленной зеленью.

☙ УЖИН ❧

Салат из апельсинов
(На четыре порции)

Лук репчатый — 200 г, апельсины — 4 шт., мед — 3 ч. ложки, лимонный сок — 3 ст. ложки, оливковое масло — 5 ст. ложек, соль, черный молотый перец — по вкусу.

Нарезать лук тонкими кольцами, апельсины очистить и разделить на сегменты. Кольца лука выложить на плоское блюдо, сверху уложить апельсиновые дольки. Мед, лимонный сок, соль, перец перемешать, добавить оливковое масло, взбить венчиком. Заправить салат.

Кальмары с имбирем

(На четыре порции)

Разделанные кальмары — 800 г, оливковое масло — 2 ст. ложки, имбирь — 3 г, нарезанные укроп и петрушка — 2 ст. ложки, вода — ¼ стакана, сахар — ½ ч. ложки, соль — ½ ч. ложки, болгарский перец, помидор — по вкусу, рис в качестве гарнира — по желанию.

Нагреть в глубокой сковороде масло, добавить измельченный имбирь, пассеровать 1 мин. Затем положить кальмары, нарезанные мелкими кусочками, и жарить на сильном огне, помешивая, 2 мин. Посолить, добавить воду и сахар. Дать закипеть, накрыть сковороду крышкой, убавить огонь и тушить 1 мин. При подаче посыпать зеленью и украсить отдельно обжаренными овощами: сладким перцем и томатом. Можно подавать с отваренным рисом.

ВТОРНИК

ஒ ЗАВТРАК இ

Кускус с мятой и базиликом

(На четыре порции)

Кускус — 1 стакан кускуса быстрого приготовления, базилик — 3 веточки, мята — 2 веточки, лимоны — 1 шт., оливковое масло — 3 ст. ложки, вода — 1 стакан.

Натереть цедру лимона, залить водой, довести до кипения и снять с огня. Всыпать кускус, оставить на 5—6 мин., влить масло, выжать сок лимона. Перемешать, добавить нарезанную зелень, вновь перемешать и подать.

Можно нафаршировать этой смесью помидоры или болгарский перец.

✎ ОБЕД ✑

Салат с кедровыми орешками и шампиньонами
(На четыре порции)

Салатная зелень (микс) — 1 упаковка, консервированные резаные шампиньоны — 200 г, белый хлеб — 4 ломтика, сушеный тимьян — 2 щепотки, орехи кедровые — 2 ст. ложки, чеснок — 2 зубчика, постное масло — 4 ст. ложки, соль, черный молотый перец, петрушка — по вкусу.

Шампиньоны откинуть на сито, дать стечь жидкости. Обжарить орешки на сухой сковороде, постоянно помешивая. Как только орешки подрумянятся, переложить их со сковороды в отдельную миску. Дать остыть. В эту же сковороду добавить 1 ст. ложку постного масла, нагреть, выложить грибы и обжарить их, помешивая, в течение нескольких минут.

Готовые грибы выложить на бумажное полотенце. Затем приправить тимьяном, солью и перцем, все перемешать на доске.

Прибавить огонь под сковородой и добавить 1 ст. ложку постного масла. Выложить на сковороду хлеб, порезанный кубиками, и быстро обжарить, постоянно помешивая, готовить 2 мин. Гренки можно оставить остывать на сковороде, так они будут более хрустящими, но нужно периодически встряхивать сковороду, пока она еще горячая.

Салатный микс вымыть и просушить, выложить большое блюдо, сверху разложить обжаренные грибы, орешки и гренки, можно добавить нарезанную зелень петрушки. Полить сверху заправкой и подать.

Заправка

Постное масло — 4 ст. ложки, сок лимонный — 2 ст. ложки, мед — 2 ч. ложки, горчица зернистая — 2 ч. ложки, соль, черный молотый перец — по вкусу.

Смешать до однородности все ингредиенты.

Суп из баклажанов и цукини с чесноком
(На три-четыре порции)

Овощной бульон (см. стр. 18) — 3½ стакана, баклажаны — 2 шт., цукини — 2 шт., лук репчатый — 1 шт., помидоры— 400 г, оливковое масло — 4 ст. ложки, чеснок — 4 зубчика, вода — ½ стакана, тимьян — 1 ч. ложка, лимонный сок — 2 ст. ложки, соль, черный молотый перец — по вкусу.

Баклажаны помыть, очистить и нарезать вдоль ломтиками толщиной 5 см. Смазать оливковым маслом, положить на противень и запекать в духовке с двух сторон до золотистого цвета. Очистить несколько зубчиков чеснока, мелко нашинковать, перемешать с 1 ст. ложкой оливкового масла. Обжарить на хорошо разогретой сковороде в течение 2–3 мин., влить воду, накрыть крышкой и тушить 5 мин. Оставшееся масло влить в сковороду и спассеровать в нем репчатый лук. Добавить туда тимьян, чтобы он раскрыл свой аромат полностью, цукини и помидоры порезать и жарить еще несколько минут. Положить баклажаны, чесночную пасту и остальные овощи в большую кастрюлю, добавить лимонный сок и залить бульоном. Довести до кипения, накрыть крышкой и варить на медленном огне около 15 мин. Добавить специи и варить суп еще 5 мин.

Фаршированные грибы
(На три порции)

Крупные шампиньоны — 400 г, рис — 100 г, болгарский перец — 150 г, постное масло — 3 ст. ложки, сушеная зелень кинзы, хмели-сунели, соль — по вкусу.

У грибов вырезать ножку так, чтобы шляпка оставалась целой. Ножки мелко нарезать поперек волокон и тушить в постном масле вместе с кинзой. Готовые тушеные ножки смешать с отваренным и поджаренным рисом, поджаренным болгарским перцем и посолить. Шляпки грибов наполнить получившимся фаршем, положить на разогретую сковороду, накрыть фольгой. Готовить в духовке 15–20 мин. при 180 °C.

☙ УЖИН ❧

Салат с цитрусами и клубникой
(На четыре порции)

Апельсины — 3 шт., грейпфруты — 3 шт., клубника — 200 г, мед — 200 г, сок одного лимона, листья мяты — по вкусу.

Апельсины и грейпфруты очистить, нарезать на мелкие кусочки, смешать с клубникой. Мед перемешать с лимонным соком, полить соусом фрукты. Украсить листочками мяты.

Тушеные томаты с яблоками
(На пять — шесть порций)

Помидоры — 7–8 шт., яблоки — 5–6 шт., кокосовое молоко — 200 г, сахар — 1 ст. ложка, мука — 1 ст. ложка, постное масло — 3 ст. ложки, молотые пшеничные сухари — горсть, гренки — по вкусу.

Помидоры нарезать кружочками, посолить, сложить в сотейник. Добавить очищенные и нарезанные кружочками яблоки. Можно уложить их слоями, посыпать сахаром. Смешать кокосовое молоко, муку, масло. Залить этой смесью томаты и яблоки. Сверху насыпать пшеничные сухари и тушить в духовке, разогретой до 120 °C, в течение 35 мин. Подать с гренками.

На завтра на обед готовим глазированные овощи в устричном соусе.

Глазированные овощи в устричном соусе
(На четыре-пять порций)

Некрупные баклажаны — 1 кг, тыква — ½ кг, цукини — 0,5 кг, устричный соус — 2–3 ст. ложки, постное масло, соль, свеже-молотый черный перец — по вкусу.

Разогреть духовку до 200 °C. Нарезать баклажаны, цукини и очищенную тыкву брусочками. Обмакнуть в масло и поперчить. Застелить противень бумагой для выпечки.

разложить овощи в один слой. Запекать до румяной корочки. Полить горячие овощи устричным соусом, остудить, затянуть пленкой и поставить в холодильник на 16 ч.

СРЕДА

ও ЗАВТРАК ल

Салат из ананасов
(На четыре порции)

Свежий ананас — 16 долек, авокадо — 2 шт., розовые креветки — 24 шт., замороженные тушки кальмаров — 200 г, черная редька — 2 шт., чеснок — 1 зубчик, постное масло — 12 ст. ложек, сок четырех лимонов, молотый имбирь — 1 ч. ложка, соль и черный молотый перец — по вкусу.

Овощи вымыть и очистить. Редьку нарезать тонкими ломтиками, а кальмары — тонкими полосками, из авокадо вынуть косточку, мякоть нарезать. Разложить, не смешивая, кальмары, редьку, авокадо и ананасы по тарелкам. Полить лимонным соком. В отдельной емкости смешать масло, толченый чеснок, имбирь, перец и соль. Полить салат заправкой.

ও ОБЕД ल

Глазированные овощи в устричном соусе

Подать глазированные овощи в устричном соусе, приготовленные вчера (см. стр. 152), предварительно подогрев в духовке.

Окрошка овощная
(На три порции)

Хлебный квас — 1 л, картофель — 1–2 шт., свёкла — 1 шт., морковь — 1 шт., огурцы — 1–2 шт., зеленый лук — 50–75 г, сахар — 1 ч. ложка, зелень укропа, постные сливки (см. стр. 25) или кокосовое молоко, горчица — по вкусу.

Свёклу, морковь сварить, охладить, затем вместе с огурцами нарезать мелкими кубиками. Картошку отварить в мундире. Важно, чтобы она получилась рассыпчатой. Для этого ее надо готовить в небольшом количестве воды, прикрыв кастрюлю крышкой, практически на пару, примерно 20—25 мин. Вареный картофель натереть на терке, зеленый лук мелко нарезать и размять ложкой, добавив немного соли, чтобы он стал мягким и дал сок. Добавить горчицу. Растертый зеленый лук смешать с картофелем, сахаром, солью, развести квасом, положить нарезанные свёклу, морковь и огурцы. По желанию добавить 1 ст. ложку постных сливок или кокосового молока. Посыпать окрошку нарезанной зеленью укропа.

Роллы с крабом и авокадо

(На четыре порции)

Листья нори — 20 листиков, крабовое мясо — 400 г, авокадо — 2 шт., редька дайкон — 200 г, огурец — 2 шт., японский круглый рис — 500 г, зеленый лук — 4 стебля, рисовый уксус — 4 ст. ложки, сахар — 4 ст. ложки, васаби — щепотка, маринованный имбирь, соевый соус — по вкусу.

Промыть рис, залить его холодной водой и оставить на 20 мин. Добавить рис в кастрюлю с водой в соотношении 1:2 и довести до кипения. Закрыть крышкой, варить 10 мин. пока не впитается вода. Снять с огня и охладить при комнатной температуре, приправить рисовым уксусом и сахаром. Крабовое мясо, авокадо, дайкон, огурцы, зеленый лук мелко порезать. Листья нори положить на циновку шершавой стороной вверх. Рис распределить на нем тонким слоем. Добавить васаби. Начинку распределить вдоль рисовой дорожки. Начать сворачивать циновку. Концы листа нори должны склеиться до конца. Убрать в холодильник на 10 мин. Нарезать на куски. Выложить роллы на блюдо. Отдельно налить соевый соус. Выложить горкой васаби и маринованный имбирь.

☙ УЖИН ☙

Салат с медом и репой

(На четыре порции)

Тыква — 250 г, репа — 3–5 шт., яблоки — 4 шт., мед — 7–8 ст. ложек.

Очистить тыкву, репу и яблоки. Нарезать их кубиками, залить растопленным медом, перемешать. Дать настояться 1 ч. в холодильнике. Выложить на блюдо и подать.

Корзиночка из макарон

(На четыре порции)

Спагетти — 400 г, помидоры — 4 шт., кукурузное масло — 8 ст. ложек, зелень, соль, специи — по вкусу.

Опустить спагетти в уже подсоленную кипящую воду (10 г соли на 1 л воды) на 30 сек. Откинуть на дуршлаг, обдать холодной водой. В алюминиевый ковшик вылить кипящее кукурузное масло, распределить по дну порцию макарон в виде корзиночки и подержать емкость в кастрюле с кипящей водой. Аккуратно вынуть готовую формочку, выложить на бумажную салфетку и дать стечь маслу, остудить, нафаршировать дольками помидоров, предварительно очищенных от кожуры, посыпать специями и рубленой зеленью.

ЧЕТВЕРГ

☙ ЗАВТРАК ☙

Закуска из цукини и баклажанов

(На три-четыре порции)

Баклажаны — 2 шт., цукини — 2 шт., лук репчатый — 4 шт., чеснок — 4 зубчика, укроп — 1 пучок, петрушка — 1 пучок, уксус — 1 ч. ложка, постное масло, соль, черный молотый перец — по вкусу.

Баклажаны разрезать вдоль тонкими ломтиками, посолить, выдержать 30 мин. Ломтики отжать и обсушить. Цукини нарезать тонкими кружочками. Баклажаны и цукини обжарить на масле. Чтобы блюдо получилось менее жирным баклажаны можно запечь. Лук нарезать соломкой, спассеровать, охладить. Зелень и чеснок мелко порубить, перемешать с луком. На жареные ломтики баклажана уложить кружочки цукини, сверху равномерно распределить луковую массу и свернуть в рулетики. Можно скрепить рулетики шпажками.

҂ ОБЕД ҂

Фасоль с кинзой
(На четыре порции)

Консервированная фасоль — 400 г, кинза — 1 пучок, лук репчатый — 1 шт., уксус, специи — по вкусу.

Фасоль слить, сок отставить, посолить, поперчить, перемешать с мелко нарезанной зеленью кинзы. Полить соком с уксусом, сверху посыпать луком, нарезанным кольцами.

Морковный суп
(На четыре порции)

Морковь — 1 кг, овощной бульон (см. стр. 18) — 4 стакана, лук репчатый — 1 шт., чеснок — 7–8 зубчиков, свежий корень имбиря — 3–4 см, постное масло — 4 ст. ложки, багет толщиной 2 см — 3 ломтика, сахар — 1 ст. ложка, свежий тимьян — 4 веточки, соль, черный молотый перец, чесночные гренки (см. стр. 29) — по вкусу.

Зубчики чеснока разрезать пополам, выложить в форму, залить постным маслом, посыпать сахаром, запечь в разогретом до 180 °C духовом шкафу 20 мин. Лук мелко нарезать и обжарить на постном масле 5 мин. Морковь помыть, очистить, нарезать небольшими кусочками, залить 3,5 стакана горячего бульона. Добавить соль, перец и мелко порубленный имбирь, варить 25 мин. Снять с огня. Положить в суп печеный чеснок. Хлеб нарезать крупными кубиками, перемешать с чесночным маслом. Суп взбить блендером. Если он получается слишком густым, добавить еще кипящего бульона. Перелить суп обратно в кастрюлю и прогреть на слабом огне 5—7 мин. Разлить по тарелкам, в каждую положить чесночные гренки и по одной веточке тимьяна.

Азиатская лапша с хрустящими креветками
(На три порции)

Замороженные очищенные креветки — 500 г, лапша — 200 г, овощной бульон (см. стр. 18) — 150 мл, кунжутное масло — 2 ст. ложки, карри — 1 ч. ложка, соевый соус — 5 ст. ложек, соль, специи — по вкусу.

Креветки разморозить, вымыть и обсушить. В сковороде Вок разогреть кунжутное масло. Обжарить в нем креветки на небольшом огне. Выложить в отдельную емкость и посолить. Лапшу отварить в подсоленной воде аль денте, откинуть на дуршлаг. Выложить в сковороду сваренную лапшу, добавить карри и жарить 3 мин. Бульон смешать с соевым соусом, вылить в сковороду и довести до кипения. Добавить креветки, приправить специями, перемешать и подать.

☙ УЖИН ☙

Острый салат
(На четыре порции)

Помидоры — 4 шт., лук репчатый — 2 шт., чеснок — 4 зубчика, оливковое масло — 4 ст. ложки, грецкие орехи — 60 г.

Нарезать помидоры кружочками, лук — кольцами. Чеснок истолочь с грецкими орехами. Все перемешать и заправить оливковым маслом.

«Сладкий сундучок»

(На четыре порции)

Тыква — 3 кг, рис — 140 г, изюм — 60 г, алыча — 140 г, яблоки и груши — 400 г, сахар, корица, мед — по вкусу.

У тыквы срезать верхушку, удалить семена. Смешать отваренный рис, промытый изюм, алычу без косточек, яблоки и груши, нарезанные соломкой, сахар, корицу. Наполнить тыкву фаршем и запекать в разогретой до 180 °C духовке 1 ч. Подать «сладкий сундучок», разрезанный на куски. Сверху полить медом.

ПЯТНИЦА

☙ ЗАВТРАК ☜

Ароматные перцы

(На четыре порции)

Красный болгарский перец — 4 шт., желтый болгарский перец — 4 шт., чеснок — 6 зубчиков, оливковое масло — 8 ст. ложек, ароматизированный уксус — 2 ч. ложки, базилик, специи — по вкусу.

Помыть два вида болгарского перца, удалить плодоножки и семена. Порезать полосками. Чеснок измельчить. Выложить перцы на противень, посыпать чесноком, полить оливковым маслом и запечь в духовке до готовности. Добавить ароматизированный уксус, мелко нарезанный базилик, специи. Подавать в холодном виде.

Ароматизированный уксус

Уксус (яблочный, столовый или винный; красный или белый) — 1½ л, сахар — 4 ст. ложки, бутылка или банка — 1½ л, марля, травы: розмарин, базилик, тимьян; красный молотый перец, чеснок, укроп; петрушка, шалфей, розмарин, тимьян; орегано, тимьян, петрушка, базилик; розмарин, корочки лимона, гвоз-

дика; тимьян, чеснок, корочки лимона и апельсина; только розмарин или тимьян; эстрагон, черный перец, чеснок, лук; семена укропа, черный перец; базилик, черный перец, чеснок; корень хрена, перец, лук (лучше использовать для настаивания яблочный уксус); чеснок, перец, укроп.

1 чашку травы залить 4 чашками уксуса.

Для приготовления ароматизированного уксуса горячим способом потребуется 9%-ный уксус, который следует налить в эмалированную посуду и довести до кипения, затем залить подготовленный состав трав. После чего бутылки или банки плотно закрыть и поставить в темное место на две недели.

Уксус, настоянный на петрушке, эстрагоне, базилике, хорошо подойдет для овощных салатов, с добавкой мяты — для греческого салата, с кориандром — для блюд с креветками.

Для того чтобы получить более сбалансированный вкус и избавиться от кислоты, в уксус можно добавить ложечку меда или щепотку сахара.

ОБЕД

Вкусный салат
(На четыре порции)

Черешковый сельдерей — 400 г, апельсины — 2 шт., яблоки — 2 шт., грецкие орехи — 100 г, листья салата, зелень, постный майонез (см. стр. 139) — по вкусу.

Сельдерей и апельсин нарезать. Яблоко натереть на терке. Все смешать, заправить постным майонезом, выложить на салатные листья, посыпать тертыми орехами и зеленью.

Легкий супчик
(На три-четыре порции)

Овощной бульон (см. стр. 18) — 2 л, картофель — 4 шт., баклажаны — 4 шт., помидоры — 4 шт., морковь — 2 шт., лук репчатый — 2 шт.

Овощной бульон заправить картофелем. Нарезать кубиками баклажаны и помидоры, натереть морковь, нашинковать лук. Потушить овощи на слабом огне. Положить в бульон с картошкой и варить 10 мин.

Котлеты по-азиатски из овощей

(На четыре порции)

Зеленый болгарский перец — 2 шт., морковь — 2 шт., белокочанная капуста — 6 листов, лук репчатый — 2 шт., чеснок — 2 зубчика, консервированная кукуруза — 105 г, крахмал — 2 ст. ложки, ростки сои — 4 ст. ложки, панировочные сухари — 4 ст. ложки, кунжутные семечки — 4 ч. ложки, куркума, постное масло, соль, черный молотый перец — по вкусу, рис — для гарнира.

Перец и морковь нарезать мелкими кубиками, капусту — соломкой. Лук и чеснок измельчить. Обжарить в 1 ст. ложке масла половину сладкого перца, капусты и лука. Добавить куркуму и 3 ст. ложки воды, тушить под крышкой 5 мин. Добавить кукурузу, ростки сои. Перемешать и тушить еще 3 мин. Приправить солью и перцем. В другой сковороде обжарить лук и чеснок в 1 ч. ложке постного масла. Выложить оставшийся сладкий перец, морковь и капусту, жарить, перемешивая, 5 мин. Посолить, посыпать крахмалом, перемешать и остудить. Слепить из овощной массы котлетки. Панировочные сухари перемешать с кунжутными семечками. Обвалять котлеты в смеси сухарей и кунжута и обжарить на масле. Выложить на тарелку вместе с овощами. На гарнир отварить рис.

✍ УЖИН ✍

Салат со сладкой кукурузой и авокадо

(На четыре порции)

Листья зеленого салата — 2 горстки, авокадо — 2 шт., консервированная кукуруза — 6—8 ст. ложек, оливковое масло — 4 ст. ложки, цедра двух апельсинов, сок половины лайма, петрушка, базилик, черный молотый перец — по вкусу.

Листья салата вымыть, просушить, крупно нарвать и выложить на блюдо. Авокадо почистить и порезать длинными полосками. Присыпать листья салата кукурузой, петрушкой и базиликом, сверху выложить авокадо. Смешать сок лайма и цедру апельсина и полить салат, затем поперчить, сбрызнуть оливковым маслом.

Помидоры с квашеной капустой
(Двенадцать шт.)

Квашеная капуста — 400 г, помидоры — 12 шт., миндальная стружка — 50 г, чеснок — 2 зубчика, зеленый лук — 1 пучок, укроп — 1 пучок, масло грецкого ореха — 3 ст. ложки, сок половины лимона, соль, черный молотый перец — по вкусу.

Помидоры вымыть. Срезать «крышечки», вынуть семена с помощью маленькой ложечки, посолить и поперчить внутри. Миндаль порубить, обжарить в сковороде без масла и высыпать на тарелку. Зеленый лук очистить и нарезать кольцами. Укроп вымыть и порубить. Нашинковать квашеную капусту. Чеснок очистить, измельчить и выложить на капусту. Добавить миндаль, зеленый лук и укроп. Приготовленным фаршем начинить помидоры. Украсить зеленью.

СУББОТА

ЗАВТРАК

Бутерброды с икрой
Рыбная икра, хлебцы или хлеб.
Сделать бутерброды.

Тушеный апельсин с имбирем
(На две порции)

Апельсины — 2 шт., мед — 1 ст. ложка, орехи — 1 ст. ложка, вода — 1 ст. ложка, имбирь — 50 г, лавровый лист — 1 шт.

Имбирь очистить и нарезать соломкой толщиной 2 мм. Апельсины, не очищая, вымыть и обсушить. Сделать 4 надреза и выложить в гусятницу или в любую другую металлическую посуду. Полить медом. Добавить имбирь и налить воды так, чтобы она слегка прикрывала апельсины. Довести до кипения и тушить в течение 2,5 ч., периодически переворачивая. Добавить лавровый лист, снять с огня и остудить. Полить сиропом, образовавшимся в процессе приготовления, и сразу подавать в кожуре.

◈ ОБЕД ◈

Закуска из баклажанов с мятой

(На четыре порции)

Баклажаны — 2 шт., крошки белого хлеба — 2 ст. ложки, постное масло, мята — по вкусу.

У баклажанов срезать кончики и, не очищая, нарезать вдоль пластины толщиной 1 см. Обжарить с обеих сторон на постном масле до золотистой корочки и положить на бумажное полотенце для удаления излишков жира. Баклажановые ломтики разложить на блюде и полить заправкой, оставить на 20 мин. Подсушить на сковороде хлебные крошки и посыпать ими баклажаны. Украсить мятой и подать.

Заправка

Чеснок — 2 зубчика, зира — щепотка, мята — маленький пучок, постное масло — 3 ст. ложки, лимонный сок — 1 ст. ложка, соль, свежемолотый черный перец — по вкусу.

Растереть чеснок с зирой, солью и перцем в ступке. У мяты снять листочки со стеблей, стебли мелко нарезать, добавить в ступку, растереть до однородности. Продолжая растирать, влить постное масло и лимонный сок, растереть до образования гладкого соуса.

Хлебные крошки

Хлеб порезать или поломать на мелкие кусочки и выложить на противень. Подсушить хлеб в разогретой до 180 °C духовке, не допуская изменения цвета. Подсушенный хлеб переложить в блендер, измельчить до однородного, крошкообразного состояния.

Суп из крабового мяса
(На четыре порции)

Крабовое мясо — 600 г, помидоры — 2 шт., чеснок — 2 зубчика, кокосовое молоко — 2 стакана, консервированная кукуруза — 340 г, перец чили, соль, черный молотый перец — по вкусу.

Все ингредиенты, не добавляя кокосового молока, измельчить в блендере. Переложить в кастрюлю, влить кокосовое молоко и довести до кипения. Перед подачей посыпать кукурузой.

Перцы, фаршированные морковью, сельдереем и петрушкой
(На четыре порции)

Болгарский перец — 8 шт., морковь — 2 шт., лук репчатый — 2 шт., помидоры — 4 шт., листовой сельдерей — 6 веточек, петрушка — 2 пучка, постное масло — 6 ст. ложек, соль, сахар, специи, уксус — по вкусу.

Разогреть в сковороде постное масло. Положить мелко порубленную морковь, сельдерей, петрушку и тушить 5 мин. Отдельно поджарить мелко порезанный лук. Все смешать, добавить специи. Подобрать перцы одинакового размера, чтобы они равномерно приготовились. Вымыть, удалить плодоножки и семена, обдать кипятком, остудить и нафаршировать. Потушить помидоры, нарезанные кубиками, добавить соль, сахар, уксус, специи. Протереть через сито и залить перцы. Тушить 40 мин.

❧ УЖИН ❧

Фисинджан из свёклы
(На четыре порции)

Свёкла — 800 г, гранатовый сок — 120 мл, гранатовые зерна — 120 г, ядро грецкого ореха — 160 г, лук репчатый — 100 г, зелень кинзы — 60 г, постное масло — 80 г, соль — по вкусу.

Очистить свёклу и нарезать ломтиками, положить в кастрюлю и тушить в небольшом количестве воды, затем пропустить через мясорубку, заправить маслом и посолить. Ядро грецкого ореха размельчить и добавить гранатовый сок, все перемешать с пюре из свёклы. Фисинджан выложить на блюдо и гарнировать репчатым луком, нарезанным кольцами, посыпать зеленью кинзы и половинками ядра грецкого ореха.

Запеканка с савойской капустой
(На четыре-пять порций)

Картофель — 6 шт., савойская капуста — 500 г, зеленый лук — 1 пучок, морковь — 4 шт., постное масло — 2 ст. ложки, овощной бульон (см. стр. 18) — 300 мл, кокосовое молоко — 250 мл, овсяные хлопья — 4—5 ст. ложек, черный молотый перец, соль, зеленый салат — по вкусу.

Картофель вымыть и отварить в мундире. Капусту нашинковать соломкой, зеленый лук — кольцами, морковь — кружочками. Морковь обжарить в постном масле.

Добавить капусту, зеленый лук, влить бульон и тушить около 10 мин.

Всыпать овсяные хлопья и добавить кокосовое молоко. Перемешать, посолить и поперчить.

Картофель очистить и нарезать кружочками. Нагреть духовку до 200 °С. Выложить на противень, смазанный маслом, ломтики картофеля, затем овощную смесь и снова картофель.

Верхний слой должен быть из картофеля. Запекать 20 мин. На гарнир подать зеленый салат.

ВОСКРЕСЕНЬЕ

ЗАВТРАК

Бутерброды с рыбой
Консервированная рыба, хлеб или хлебцы.

Сделать бутерброды.

Ананасный десерт
(На четыре порции)

Свёкла — 2 шт., консервированный ананас — 850 мл, хрен — 2–3 ч. ложки, гранат — 1 шт.

Слить жидкость из банки с ананасом. Плод нарезать на небольшие кусочки. Выбрать гранат с сухой и тонкой кожурой, который не имеет трещин и вмятин, очистить. Соединить зерна граната с ананасом. Свёклу натереть на терке. Добавить тертый хрен. Все продукты смешать.

ОБЕД

Салат из креветок и апельсинов
(На четыре порции)

Черешковый сельдерей — 4 стебля, реган — 1 пучок, салат — 1 кочан, красный лук — 1 шт., апельсины — 3 шт., креветки — 12–16 шт., корень имбиря — 1 кусочек, горчица — 1 ч. ложка, сахар — щепотка, багет — по вкусу.

Вымыть сельдерей, отрезать и мелко порубить верхнюю часть с зелеными листьями. Стебли сельдерея тонко нарезать. Реган помыть, стряхнуть воду. Салат разобрать на листья, вымыть и разложить на полотенце, чтобы в него впиталась вода. Лук очистить и нарезать мелкими кубиками. Почистить апельсины, дольки нарезать кусочками. Креветки отварить и очистить. Имбирь измельчить. Смешать с сахаром в маленькой мисочке. Влить апельсиновый сок и уксус. Добавить нарезанный сельдерей.

Маринад посолить и поперчить. Нарезать листочки регана тонкой соломкой. Разложить по тарелкам листья салата. На них горкой выложить апельсины и сельдерей, разложить креветки. Полить салат маринадом, посыпать красным луком, реганом и подать с багетом.

Рыбный суп

(На три порции)

Горбуша — голова, хвост и обрезки от небольшой рыбины, лук репчатый (средний) — 1 шт., маленькая морковь — 1 шт., редька зеленая или дайкон — 1 шт., зеленый перец чили — 1 шт., огурцы — 1 шт., шампиньоны, крабовые палочки — несколько штук, имбирь — 1 ломтик, лист нори — 1 шт., мисо паста — 2 ст. ложки, соевый соус — 3 ст. ложки, китайские пряности для рыбы — 1 ч. ложка, кунжутное масло — 1 ст. ложка, перец горошком — по вкусу.

Из горбуши сварить бульон на 2 л воды. После закипания снять пену, добавить немного лука, перец горошком и варить 30 мин. на слабом огне. Овощи очистить, помыть, нарезать соломкой. Лист нори настричь ножницами, свернув предварительно в трубочку. Имбирь измельчить. В половине стакана теплого бульона развести мисо пасту. В бульон положить грибы и варить до готовности 15 мин.

Добавить соевый соус и опустить лук, морковь и редьку. Довести до кипения, размешать. Снять с огня, опустить перец, крабовые палочки, лист нори, имбирь, огурец и кусочки рыбы. Влить мисо, перемешать, посыпать пряностями, добавить кунжутное масло. Плотно накрыть крышкой и дать настояться 10 мин. При подаче посыпать зеленью.

Семга, запеченная в фольге

(На четыре порции)

Филе семги — 2 кг, постное масло — 4 ст. ложки, лимон — 2 шт., пикули — 1 стакан, измельченная зелень — 2 ст. ложки, белый хлеб — 8 ломтков, чеснок — 4–6 зубчиков, шашлычный или острый томатный соус, соль, черный молотый перец, болгарский перец — по вкусу.

Филе нарезать на поперечные ломтики толщиной около 2 см и уложить на фольгу, предварительно смазанную постным маслом.

Заправить лимонным соком, солью и перцем. Посыпать семгу измельченными пикулями и зеленью, плотно завернуть в фольгу и запекать в духовке около 45 мин. В конце заправить рыбу шашлычным или острым соусом.

К семге подают подрумяненные тосты.

Хлеб перед обжариванием сбрызнуть постным маслом, а затем натереть зубчиком чеснока.

ஐ УЖИН ൠ

Салат из лососины со стручковой фасолью и макаронами

(На четыре порции)

Замороженная зеленая стручковая фасоль — 200 г, морковь — 2 шт., пенне (вид коротких макаронных изделий; трубочки-перья диаметром до 10 мм и длиной до 40 мм) — 400 г, лососина — 200 г, укроп — 1 пучок, горчица — 3 ст. ложки, лимонный сок — 2 ст. ложки, сахар — 1 ст. ложка, постное масло, черный молотый перец, соль — по вкусу.

Морковь вымыть, очистить и нарезать кружочками. Фасоль варить в кипящей подсоленной воде 8 мин., а морковь — 6 мин. Овощи откинуть на дуршлаг и обдать холодной водой. Макароны отварить в кипящей подсоленной воде до готовности, не закрывая крышки, чтобы они не получились слипшимися.

Лосось вымыть, обсушить бумажным полотенцем и нарезать небольшими кусочками. Разогреть в сковороде постное масло и жарить рыбу 3–4 мин. Посолить и поперчить. Укроп вымыть, обсушить и мелко порубить. Горчицу смешать с 3 ст. ложками постного масла, добавить немного охлажденной воды, в которой варились макароны. Приправить солью, перцем, лимонным соком и сахаром. Макароны откинуть на дуршлаг и обдать водой или сбрызнуть 1 ст. ложкой постного масла. Смешать с овощами, укропом и соусом. Выложить на тарелки вместе с кусочками рыбы.

Овощное рагу
(На четыре порции)

Цукини — 1 шт., баклажаны — 1 шт., картофель — 500 г, помидоры — 600 г, овощной бульон (см. стр. 18) — 200 мл, лук репчатый — 100 г, чеснок — 2 зубчика, оливковое масло — 3 ст. ложки, шалфей — 2 веточки, зелень — для украшения.

Лук и чеснок порубить. Баклажан и цукини нарезать кусочками. Картофель вымыть и, не очищая, нашинковать тонкими дольками. В сковороде порциями разогревать масло и поочередно обжаривать овощи. Лук и чеснок, баклажан, цукини и картофель сложить в жаропрочную форму, перемешать, посолить и поперчить. Помидоры нарезать кусочками, слегка потушить в оливковом масле и перемешать с остальными овощами. Влить бульон, уложить веточки шалфея. Накрыть крышкой и готовить в духовке 60 мин. при температуре 170 °C. Посыпать зеленью.

Страстная седмица

ВЕЛИКИЙ ПОНЕДЕЛЬНИК

ឆ ЗАВТРАК ରୀ

Салат из картофеля, маринованных огурцов и красных яблок
(На четыре порции)

Картофель — 800 г, лук красный — 2 шт., маринованные огурцы — 150 г, рассол — 6 ст. ложек, красные яблоки — 1 шт., болгарский перец — 1 шт., морковь — 1 шт., укроп — 1 пучок, зеленый лук — 50 г, грибной бульон — ½ стакана, соль, черный молотый перец — по вкусу.

Отварить морковь и картофель в мундире. Остудить, очистить и мелко нарезать. Лук порезать колечками, а огурцы — кубиками. Соединить грибной бульон с рассолом и вскипятить. Добавить лук, приправить солью и перцем. Подливкой заправить картофель. Дать настояться 15 мин. С яблока снять кожуру, мякоть нарезать кубиками, а перец — тонкими полосками. Мелко нарубить зелень. Смешать нарезанные яблоко, огурцы и зелень, приправить солью и перцем, соединить с картошкой и оставить на 30 мин.

Грибной бульон

Грибы сушеные — 50 г, лук репчатый — ½ шт., корень петрушки — ½ шт., морковь — 1 шт., вода — 1 л.

Промыть грибы, залить водой и оставить на 3—4 ч. Затем грибы нужно промыть и залить их той же водой, в которой они настаивались. Варить без соли. Морковь помыть, почистить, порезать. Корень петрушки и лук также промыть, очистить и порезать. Когда бульон закипит, добавить морковь, лук, корень петрушки. Варить на медленном огне 40 мин. За 10 мин. до окончания варки слить бульон, отваренные грибы промыть холодной водой, нарезать и снова добавить в бульон.

ОБЕД

Салат-ассорти из сырых овощей
(На четыре порции)

Зеленый болгарский перец — 2 шт., красный болгарский перец — 2 шт., морковь — 2 шт., огурцы — 2 шт., помидоры — 2 шт., зеленый лук — 2 пучка, редис — 2 пучка, укроп — 2 пучка, чеснок — 2 зубчика.

Перец нарезать кусочками, морковь и редиску — тонкими кружочками, огурец и помидор — кубиками, зеленый лук — тонкими кольцами. Все овощи и зелень перемешать. Укроп помыть, порубить, добавить к овощам. Чеснок очистить, пропустить через пресс прямо в салат, перемешать и полить заправкой.

Салатная заправка

Бальзамический уксус — 4 ст. ложки, зернистая горчица — 2 ч. ложки, мед — 4 ч. ложки, специи — по вкусу, авокадо — по желанию.

Смешать бальзамический уксус, горчицу, мед и специи. Можно заменить уксус цитрусовым соком. Если добавить растертую мякоть авокадо, соус приобретет густоту.

Суп из свежих фруктов
(На четыре порции)

Яблоки — 300 г, груши — 300 г, картофельный крахмал — 40 г, сахар — 240 г, корица — 100 г, вода — 1,2 л, лимонная кислота — по вкусу.

Яблоки и груши помыть и очистить. Из семечек и кожицы яблок и груш сварить отвар. Фрукты нарезать дольками, залить процеженным отваром, добавить сахар, корицу и варить на слабом огне. Перед окончанием варки в суп влить разведенный холодной водой крахмал, осторожно помешивая, чтобы не помять фрукты, и вновь нагреть до кипения. Если суп недостаточно кислый, добавить немного лимонной кислоты.

Клубни фенхеля с соусом и каперсами
(На четыре порции)

Клубни фенхеля — 600 г, морковь — 500 г, каперсы — 2 ст. ложки, помидоры — 3 шт., чеснок — 2 зубчика, мука — 2 ст. ложки, лимонный сок, черный молотый перец, соль, базилик — по вкусу.

Фенхель и морковь вымыть и очистить. Клубни фенхеля разрезать вдоль пополам, морковь нашинковать соломкой. Овощи варить в подсоленной воде по отдельности по 8 мин. Для приготовления соуса свежие помидоры очистить от шкурки, измельчить в блендере, проварить, добавить раздавленный чеснок и мелко нарезанный базилик. Загустить мукой. Добавить каперсы. Овощи откинуть на дуршлаг, приправить, разложить по тарелкам вместе с соусом.

❧ УЖИН ☙

Салат с фейхоа, клубникой и авокадо
(На четыре порции)

Смесь салатных листьев: романо, кресс-салат, лолло-росса — 400—600 г, фейхоа — 8 шт., авокадо — 2 шт., клубника — 8 шт., зеленый базилик, лимонный сок, уксус, малиновый уксус, соль, черный молотый перец — по вкусу.

Выложить в салатницу листья салата. Добавить мелко нарезанную фейхоа. Для соуса мякоть авокадо, лимонный сок, соль, перец, базилик, малиновый уксус измельчить в блендере. Полить соусом салат и украсить половинками клубники.

Котлетки из чечевицы, завернутые в ломтики кабачка

(На три-четыре порции)

Кабачки — 300 г, чечевица — 250 г, лук зеленый — 50 г, порошок имбиря — щепотка, белые хлебные крошки — 100 г, тмин — ½ ч. ложки, кокосовое молоко — 100 мл, соль, черный молотый перец — по вкусу.

Чечевицу варить 20 мин. в кипящей подсоленной воде, а затем измельчить в блендере. В чечевичное пюре добавить измельченный зеленый лук, щепотку имбиря, хлебные крошки, тмин, соль, перец. Из фарша слепить котлетки и потушить их в кокосовом молоке. Кабачки помыть, очистить и нарезать тонкими продольными ломтиками. Бланшировать в подсоленной воде 2 мин., обдать холодной водой и обсушить. Котлетки завернуть в бланшированные ломтики кабачков. Зафиксировать зубочистками. Потушить в кокосовом молоке еще 3 мин.

Проращиваем чечевицу для обеда в Великую Среду

Чечевица — 150 г.

Вымыть чечевицу, накрыть салфеткой, оставить прорастать.

ВЕЛИКИЙ ВТОРНИК

ઝ ЗАВТРАК ભ

Свёкла, фаршированная яблоками, рисом и изюмом

(На четыре порции)

Свёкла — 300 г, яблоки — 300 г, рис — 60 г, изюм — 60 г, сахар — 20 г, постные сливки (см. стр. 25) — 200 мл, корица — по вкусу.

Свёклу отварить или запечь, очистить и ложкой удалить сердцевину, придав свёкле вид чашки. Рис сварить, смешать с сахаром, изюмом и мелко нашинкованными яблоками. Затем добавить немного воды и корицу. Все это вымешать, нафаршировать свёклу, полить постными сливками.

Засахаренные фрукты
(На пять порций)

Мелкий коричневый сахар — 150 г, агар-агар — 10 г, вода — 150 мл, белый и черный виноград — по 500 г, лимоны — 1–2 шт., мандарины — 1–2 шт., яблоки — 1–2 шт., лавровый лист — 5 шт., универсальный коричневый сахар — 4–6 ст. ложек.

Фрукты вымыть, обсушить. Виноградины снять с веточек. Лимоны и мандарины нарезать вместе с цедрой тонкими дольками. Удалить сердцевину яблок, нарезать вместе с кожурой дольками. Положить дольки яблока на сито, подержать 1 мин. над кастрюлей с кипящей водой. В сотейник налить 50 мл воды, довести до кипения. Высыпать мелкий коричневый сахар и готовить на среднем огне, постоянно помешивая, до полного растворения. Снять глазурь с огня. Пластинки агар-агара замочить на 20–25 мин. в теплой воде, а затем откинуть на сито и обсушить. Пластинки отделить друг от друга и нарезать кусочками. После этого агар-агар развести в отдельной емкости, универсальный коричневый сахар — в другой. Опускать каждую виноградину сначала в миску с агар-агаром, затем в сахар. Выложить на салфетку. То же самое сделать с другими фруктами. Лавровый лист опустить в сахарную глазурь, выложить на пергамент и присыпать коричневым сахаром. Он понадобится для украшения.

ஐ ОБЕД ௸

Салатик
(На четыре порции)

Небольшая редька — 2 шт., морковь — 2 шт., яблоки — 2 шт., чеснок — 6–8 зубчиков, лимоны — ½ шт., сухая цедра лимона — 1 ст. ложка, соль — по вкусу.

Редьку, морковь, яблоко вымыть, очистить, снова вымыть и натереть на мелкой терке. Массу хорошо перемешать. Добавить измельченный чеснок и цедру. Выжать сок лимона в салат, посолить, перемешать.

Суп арахисовый
(На четыре-пять порций)

Сладкий картофель (батат) — 2 шт., помидоры — 12 шт., арахисовое масло — 4 ст. ложки, лук репчатый — 3–4 шт., чеснок — 1–2 зубчика, арахисовая паста — 2 стакана, овощной бульон (см. стр. 18) — 4–5 стаканов, кокосовое молоко — 2 ст. ложки, соль — 1 ч. ложка, черный молотый перец — ½ ч. ложки, порошок карри — 2 ст. ложки, кайенский перец — 2 ч. ложки.

Выложить сладкий картофель в кожице на противень с 1 ч. ложкой арахисового масла. Запечь в хорошо прогретой духовке до размягчения в течение 35–45 мин., переворачивая картофель в процессе приготовления. Остудить и очистить от кожицы.

Помидоры разрезать на половинки, перемешать с 1 ч. ложкой масла и уложить на сковороду в один слой. Добавить немного соли и перца и выдерживать в духовке до тех пор, пока помидоры не сморщатся, примерно 20 мин. В небольшой кастрюле слегка разогреть оставшееся масло, добавить порошок карри и обжаривать в течение 2 мин., постоянно помешивая.

Добавить лук и готовить его до размягчения, после этого добавить чеснок, а потом арахисовую пасту и хорошо перемешать.

Объединить с томатами, сладким картофелем, бульоном и кокосовым молоком, довести до кипения. После этого тушить на медленном огне 15 мин.

Готовый суп хорошо перемешать при помощи миксера или блендера.

Подавать горячим.

Запеченные помидоры с легкой начинкой

(Восемь шт.)

Пшено — 250 г, овощной бульон (см. стр. 18) — 500 мл, помидоры — 8 шт., лук репчатый — 1 шт., чеснок — 1 зубчик, вода — 2 ст. ложки, маслины без косточек — 100 г, соль, черный молотый перец — по вкусу.

Пшено отварить в бульоне до рассыпчатости. Лук и чеснок очистить, мелко порубить и потушить в воде. Добавить пшенку, мелко нарезанные маслины и перемешать. Приправить солью и перцем. Помидоры вымыть, обсушить бумажным полотенцем и срезать «крышечки». Аккуратно выбрать из плодов мякоть, протереть ее через сито и выложить на пергамент на противень. Помидоры посолить, поперчить и наполнить начинкой с пшенкой. Сверху полить водой, накрыть срезанными «крышечками» и выложить на противень. Тушить в духовке около 15 мин.

෨ УЖИН ෪

Овощи нежные

(На три порции)

Авокадо — 1 шт., помидоры — 7 шт. (4 шт. для соуса и 3 шт. для основного блюда), цукини — 1 шт., красный болгарский перец — 1 шт., желтый болгарский перец — 1 шт., чеснок — 2 зубчика, базилик — по вкусу.

Дли приготовления соуса нужно со свежих или с консервированных помидоров снять шкурку, измельчить в блендере, проварить, добавить раздавленный чеснок и мелко нарезанный базилик. Загустить мукой. Помешивать, тушить блюдо на медленном огне до готовности. Авокадо почистить, вынуть косточку и вместе с помидорами, перцами, цукини нарезать крупными кубиками. Выложить овощи на сковороду с соусом на 5–7 мин. Чтобы авокадо быстро не потемнел, следует сбрызнуть его кислотой (лимонным соком, винным уксусом, рассолом квашеной капусты или огуречным). Затем все выложить на тарелку и украсить зеленью.

Салат с рисом
(На три-четыре порции)

Овощной бульон (см. стр. 18) — 250 мл, длиннозерный рис — 150 г, банка консервированной фасоли — 425 мл, консервированная кукуруза — 425 мл, помидоры — 2 шт., зеленый болгарский перец — 1 шт., зеленый лук — 1 пучок, перец чили — 2 шт., салат «айсберг» — 1 кочан, вода — 6 ст. ложек, сок одного лимона.

Бульон довести до кипения, высыпать в него рис и варить 20 мин. Фасоль и кукурузу откинуть на дуршлаг. Помидоры ошпарить кипятком, очистить от кожицы, нарезать дольками. Сладкий перец запечь в духовке, разогретой до 180 °C, в течение 30 мин., остудить, очистить от кожицы, нарезать мякоть дольками.

Зеленый лук промыть и нарезать колечками. Салат очистить, нарезать листья полосками. Рис, фасоль, кукурузу, сладкий перец, зеленый лук перемешать с лимонным соком, водой, солью и нарезанным перцем чили, добавить к салатным листьям.

ВЕЛИКАЯ СРЕДА

ಬ ЗАВТРАК ೞ

Салат из цветной капусты, овощей и яблок
(На три-четыре порции)

Цветная капуста — 500 г, помидоры — 400 г, огурцы — 2 шт., болгарский перец — 2 шт., яблоки — 400 г, постные сливки (см. стр. 25) — 1 стакан, сахар — 2 ст. ложки, уксус — 2 ч. ложки, соль, черный молотый перец — по вкусу.

Цветную капусту сварить, разобрать на соцветия, добавить нарезанные тонкими кружочками помидоры, сладкий перец, свежий огурец и яблоки, хорошо перемешать, залить постными сливками, смешанными с уксусом, сахаром, перцем и солью.

ОБЕД

Пряный салатик
(На четыре порции)

Корень сельдерея — 4 шт., кисло-сладкие яблоки — 4 шт., хрен — 2 ст. ложки, постное масло — 4 ст. ложки, соль, сахар, зелень — по вкусу.

Корень сельдерея и яблоки очистить. Натереть на крупной терке.

Добавить хрен, соль, сахар, заправить постным маслом и зеленью.

Суп с миндалем и виноградом
(На четыре порции)

Овощной бульон (см. стр. 18) — 2 л, миндальные орехи — 40 шт., виноград — 400 г, чеснок — 12 зубчиков, белый хлеб — 8 ломтиков, винный уксус — 4 ст. ложки.

Миндаль положить в чашку с кипятком. Через 3 мин. снять с орехов кожицу. Чеснок крупно порубить и вместе с миндалем растереть в ступке до однородной массы. С хлеба срезать корки, мякиш пропитать водой и постепенно растереть с миндалем и чесноком. Влить уксус и перемешать. Полученную массу переложить в супницу. Залить бульоном. Довести до кипения.

Выложить в супницу виноград, разрезанный на половинки, предварительно удалив косточки.

Подавать суп с гренками.

Рисовый кускус с изюмом
(На три-четыре порции)

Кокосовое молоко или постные сливки (см. стр. 25) — 200 мл, рис — 400 г, тыква — 200 г, изюм — 200 г, чернослив — 200 г, курага — 200 г, мед, соль — по вкусу.

Изюм замочить. Курагу и чернослив промыть. Рис тщательно промыть, залить водой в пропорции 1:2 и сварить кашу. Когда рис будет готов, заправить кокосовым молоком или постными сливками. Изюм, чернослив, курагу и кусочки тыквы залить небольшим количеством воды и варить, постоянно помешивая, на медленном огне 15–20 мин. Смешать сладкую подливу с готовой кашей, сверху залить медом. Подавать горячим, украсив дольками свежих фруктов.

☙ УЖИН ❧

Салат «Закуска»
(На четыре порции)

Авокадо — 2 шт., перец чили — 2 шт., болгарский перец — 4 шт., черешковый сельдерей — 2 стебля, помидоры — 2 шт., лимоны — 1 шт., имбирь — 40 г, зелень кинзы — по вкусу.

Авокадо разрезать пополам. Половину авокадо нарезать кубиками. Половину перца чили порубить и смешать с имбирем, измельченным авокадо и кинзой. Нафаршировать вторую половину авокадо. Сладкие перцы, помидор и сельдерей нарезать брусочками и выложить на тарелку. В центр положить фаршированное авокадо, сбрызнуть лимонным соком.

Картошка с зеленью
(На четыре порции)

Картофель — 500 г, овощной бульон (см. стр. 18) — 250 мл, лук репчатый — 2 шт., кинза — 5 веточек, чеснок — 4 зубчика, петрушка — 3 веточки, соль, черный молотый перец — по вкусу.

Картофель нарезать тонкими ломтиками. Лук мелко порубить, чеснок пропустить через пресс. Зелень промыть и порубить. В огнеупорной посуде разогреть бульон, добавить лук, чеснок, нарезанный картофель. Все перемешать. Поставить посуду в духовку, нагретую до 200 °С. Запечь до готовности. Посыпать зеленью.

ВЕЛИКИЙ ЧЕТВЕРТОК

ЗАВТРАК

Овощной салат

(На четыре порции)

Белая фасоль (предварительно замоченная) — 100 г, картофель — 800 г, чеснок — 4 зубчика, лавровый лист — 2 шт., сушеные томаты — 50 г, базилик — 1 пучок, уксус — 5 ст. ложек, постный соус песто — 3 ст. ложки, маслины без косточек — 50 г.

Фасоль отварить в 500 мл воды с двумя очищенными зубчиками чеснока и одним лавровым листом 45 мин. В отдельную посуду слить 100 мл отвара. Картофель вымыть, добавить оставшийся чеснок и варить с лавровым листом 25 мин. Воду слить, картофель очистить и нарезать кружочками. Томаты нарезать полосками. Базилик вымыть, листики порубить. Смешать уксус, песто и слитый фасолевый отвар. Посолить и поперчить. Добавить фасоль, картофель, сушеные томаты, маслины и базилик. Все смешать и дать 2 ч. постоять.

Постный песто

Базилик, кинза, петрушка, руккола, шпинат, орехи, чеснок, постное масло — 100 мл, соль, черный молотый перец, помидоры, красный перец — по вкусу.

Зелень помыть, перебрать. Все ингредиенты смешать в блендере.

Коктейль на основе капустного рассола

(На три порции)

Капустный рассол — ½ л, помидоры — 4 шт., петрушка или укроп — 1 пучок, кипяченая вода — 1 стакан, кайенский перец — на кончике ножа.

Смешать все ингредиенты в блендере.

ක ОБЕД ශ

Зеленый салат с горошком

(На четыре порции)

Огурцы — 4 шт., авокадо — 2 шт., зеленый листовой салат — 2 больших пучка, зеленый консервированный горошек — 60 г, кинза — 2 пучка, молодой зеленый чеснок — 4 побега, нежареные зеленые тыквенные семечки — 4 ст. ложки, цедра зеленого лайма — 4 ленточки, зеленое оливковое масло холодного отжима — 100 мл, зеленый болгарский перец — 2 шт., сок лайма, васаби, соль — по вкусу.

Авокадо помыть, удалить косточку, очистить, нарезать кубиками. Огурцы помыть, очистить, натереть на терке. Перемешать авокадо с огурцами, салатом, порванным на полоски, зеленым горошком, нарезанными стрелками зеленого чеснока, кинзой. Поджарить семечки и добавить в салат. Заправить зеленым оливковым маслом и мелкорубленой цедрой лайма, нашинкованным зеленым перцем, солью и шариком васаби.

Грибной суп с картофелем и томатами

(На четыре — шесть порций)

Лук репчатый — 3 шт., чеснок — 2 зубчика, картофель — 750 г, красный болгарский перец — 1 шт., фенхель — 1 клубень, шампиньоны — 500 г, томаты в собственном соку — 1 банка, базилик — 1 пучок, петрушка — ½ пучка, соль, перец — по вкусу.

Лук и чеснок очистить, мелко порубить. Картофель очистить и нарезать ломтиками. Перец и клубень фенхеля вымыть, почистить и мелко нарезать. Шампиньоны нарезать ломтиками. В кастрюлю поместить картофель, чеснок, лук, кубики перца и фенхель, залить 700 мл воды. Варить, не доводя до кипения, т. е. уменьшая огонь, когда вода начнет закипать. Посолить. Добавить грибы, помидоры и тушить 30 мин. Зелень вымыть, несколько листиков оборвать, остальную — порубить. Приправить суп солью, перцем и рубленой зеленью.

Мексиканское ассорти

(На четыре порции)

Красная фасоль — 250 г, лук репчатый — 2 шт., чеснок — 6 зубчиков, зеленый перец чили — 2 шт., томаты в собственном соку — 850 мл, цукини — 2 шт., кукуруза — 100 г, кинза — 2 веточки, соль, черный молотый перец, соус Tabasco — по вкусу.

Взять предварительно замоченную фасоль и положить в кастрюлю. Репчатый лук и чеснок очистить, нарезать кубиками. Перец разрезать пополам, очистить и порубить. Лук, чеснок и перец добавить в кастрюлю с фасолью, залить 1 л воды и довести до кипения, варить 90 мин. Нарезать томаты и через 60 мин. варки добавить вместе с соком к фасоли. Цукини почистить. Нарезать ломтиками шириной 4–5 см: сначала нужно разрезать цукини вдоль, а затем каждую половинку разрезать поперек. Добавить к фасоли, посыпать кукурузными зернами. Варить 10 мин. Приправить специями и соусом. Украсить кинзой.

ஐ УЖИН ᐍ

Салат из капусты с лимонным соком

(На три порции)

Белокочанная капуста — 500 г, морковь — 50 г, зеленый лук — 30 г, корень петрушки — 50 г, сок лимона — 50 г, постное масло — 50 г, зелень укропа, черный молотый перец, соль — по вкусу.

Капусту помыть и нашинковать. Морковь и корень петрушки вымыть, очистить, натереть на крупной терке. Все смешать, полить соком лимона и заправить постным маслом. Поперчить, посыпать нарезанными луком и укропом.

Пицца слоеная с овощами
(На пять-шесть порций)

Мука — 400 г, вода — 1 стакан, помидоры — 4 шт., оливки — 200 г, консервированная кукуруза — 200 г, болгарский перец — 3 шт., зелень, специи — по вкусу.

Просеять муку, в середине сделать углубление и влить в него стакан ледяной воды с солью. Перемешать ножом. Замесить крутое тесто без комков. Накрыть полотенцем и поставить в холодильник на 2 ч. Раскатать тесто. Добавить воды. Тесто защепить как конверт. Присыпать мукой, положить тесто швом вниз и тонко раскатать. Еще раз сложить тесто втрое и снова раскатать. Сложить втрое и выдержать в холодильнике 1 ч. Раскатать тесто в круг диаметром 50 см. Выложить на тесто измельченные овощи слоями и выпекать в духовке около 20 мин. при температуре 180 °C.

ВЕЛИКИЙ ПЯТОК

ЗАВТРАК

Каша из семян льна
(На три порции)

Семена льна (предварительно замоченные на 4 часа) — 8 ст. ложек, бананы — 2 шт., очищенные семена подсолнечника — 6—10 щепоток.

Бананы помыть, очистить, порезать кусочками, измельчить в блендере. Добавить разбухшие семена льна. Подать кашу, присыпав ее семечками.

ОБЕД

Салат из цветной капусты, свежих огурцов и помидоров
(На три-четыре порции)

Цветная капуста — 500 г, огурцы — 200 г, помидоры — 200 г, зеленый лук — 1 небольшой пучок, постный майонез (см. стр. 139) — 2 ст. ложки, соль, сахар — по вкусу, сода на кончике ножа

Цветную капусту вымыть, разделить на соцветия примерно одного размера, опустить в кипящую подсоленную воду (10 г соли на 1 л воды), добавить соду. Варить до мягкости примерно 10–13 мин.; важно капусту не переварить. Свежие огурцы очистить от кожицы, а помидоры — от плодоножек. Нарезать ломтиками. Нашинковать зеленый лук. Смешать все овощи, заправить сахаром, солью и майонезом.

Выложить в салатник и украсить нарезанными огурцами и помидорами.

Суп грибной с крупой «Геркулес»
(На три-четыре порции)

Сушеные белые грибы — 100 г, морковь — 2 шт., корень петрушки — 2 шт., черешковый сельдерей — 2 стебля, лук репчатый — 2 шт., крупа «Геркулес» или пшено — 400 г, постное масло — 2 ст. ложки.

Сварить бульон из сушеных белых грибов. Когда грибы станут мягкими, вынуть из бульона, мелко нарезать и вместе с измельченными корнем петрушки, репчатым луком, морковью и сельдереем слегка обжарить на постном масле.

Добавить в кипящий бульон, посолить и варить 15 мин. Потом всыпать крупу «Геркулес» и довести до готовности.

Овощная смесь с гарниром

(На четыре порции)

Длиннозерный рис — 250 г, лук репчатый — 1 шт., перец чили — 1 шт., помидоры — 2 шт., консервированная красная фасоль — 425 г, консервированная кукуруза — 425 г, подсоленный арахис — 2 ст. ложки, лимонный сок — 1 ч. ложка, петрушка — ½ пучка, молотая паприка, черный молотый перец — по вкусу.

Рис отварить в подсоленном кипятке. Репчатый лук помыть, очистить и нарезать кольцами. Перец чили вымыть и мелко порубить. Фасоль и кукурузу откинуть на дуршлаг. Помидоры залить кипятком, через 30 сек. снять кожицу, нарезать кубиками. Арахис обжарить на сухой сковороде, затем мелко порубить. В воде потушить репчатый лук и перец чили. Добавить фасоль, кукурузу, кубики помидоров и тушить не больше 3 мин., поперчить, приправить молотой паприкой и лимонным соком. Рис откинуть на дуршлаг, посолить. Петрушку вымыть и мелко порубить. Разложить овощи и гарнир по тарелкам, посыпать рубленой петрушкой.

✖ УЖИН ✖

Зеленый такос с листьями капусты кале и пастой «Тахини»

(На три порции)

Листья капусты кале — 6 шт., промытый и просушенный нут — 400 г, спелое авокадо — 1 шт., петрушка — 70 г, красный лук — 1 шт., морковь — 150 г, красный молотый перец — ¼ ч. ложки, соль и черный молотый перец — по вкусу.

У капусты кале обрезать жесткие стебли. Авокадо освободить от косточки, из мякоти сделать пюре. Петрушку без стеблей мелко нарезать. Лук помыть, очистить, нарезать кубиками. Морковь помыть, почистить, натереть на терке. Перец мелко порезать. Нут отварить. Все ингредиенты, кроме капусты, перемешать. На каждый лист капусты выложить часть начинки и полить соусом.

Соус

Паста «Тахини» — 50 г, измельченный чеснок — 1—2 зубчика, лимонный сок — 1 ст. ложка, петрушка — 2 ст. ложки, красный молотый перец — щепотка, вода — 3—6 ст. ложек, соль, соус «Шрирача», черный молотый перец — по вкусу.

Почистить чеснок и измельчить. Петрушку мелко нарезать. Все ингредиенты смешать в блендере до однородной массы.

Чечевица с овощами

(На четыре порции)

Зеленая чечевица — ½ стакана, красная чечевица — ½ стакана, кумин — ½ ч. ложки, семена горчицы — ½ ч. ложки, постное масло — 1 ст. ложка, свежемороженый зеленый горошек — ⅓ стакана, морковь — 3 шт., шпинат — 1 стакан, чеснок — 1 зубчик, перец чили — 2 шт., помидоры — 1 шт., лук репчатый — 1 шт., куркума, имбирь, соль, черный молотый перец — по вкусу.

Чечевицу отварить в подсоленной воде вместе с куркумой. Когда чечевица будет готова, слить воду. Морковь помыть, очистить, нарезать кубиками. В другой кастрюле в небольшом количестве воды отварить до мягкости горошек и нарезанную морковь. Отдельно прокалить на сковороде кумин до аромата. Затем добавить зерна горчицы, дождаться, когда они нагреются, и добавить ложку постного масла. Измельчить лук, чеснок, имбирь, перец чили, помидор, нарезать кубиками, добавить в сковороду. Обжарить все ингредиенты в течение 2—3 мин.

Добавить чечевицу, горошек, морковь, шпинат. Посолить и поперчить, готовить еще 5 мин.

ВЕЛИКАЯ СУББОТА

✎ ЗАВТРАК ✐

Салат из ананасов и изюма
(На три порции)

Размоченный изюм — 100 г, консервированный ананас — 300 г, апельсины — 2 шт., помидоры — 3 шт., зеленый салат — 1 кочан, лимонный сок — 1 ч. ложка, соль — по вкусу.

Очищенные апельсины разделить на дольки, удалить семена. Каждую дольку разрезать пополам, а затем смешать с изюмом и с нарезанными кружочками ананаса и помидорами. Сбрызнуть лимонным соком, посолить, перемешать и поставить на полчаса в холодильник. Подать на листьях зеленого салата.

✎ ОБЕД ✐

Битые огурцы
(На четыре порции)

Огурцы — 500 г, чеснок — 4 зубчика, рисовый уксус — 2 ст. ложки, соевый соус — 2 ст. ложки, сахар — 2 ч. ложки, кунжутное масло — 2 ст. ложки, белый кунжут — 2 ч. ложки, свежая кинза — половина пучка, соль, острый стручковый перец — по вкусу.

Огурцы вымыть, обсушить и обрезать кончики. Каждый огурец разрезать вдоль и пополам. Плоской стороной тяжелого ножа отбить огурцы так, чтобы они потрескались: благодаря образовавшимся трещинам маринад мгновенно проникнет внутрь огурцов. Нарезать огурцы наискосок небольшими кусочками и переложить в салатную миску. К огурцам добавить соль, сахар, уксус, соевый соус и хорошенько перемешать. Дать огурцам постоять 10 мин., чтобы они лучше пропитались маринадом. Мелко нарубить чеснок, кинзу и острый перец. Добавить их к огурцам, затем — кунжут и перемешать. Заправить салат кунжутным маслом и подавать к столу.

Рисовый суп с томатами
(На четыре порции)

Помидоры — 2 шт., лук репчатый — 2 шт., чеснок — 2 зубчика, длиннозерный рис — 4 ст. ложки, овощной бульон (см. стр. 18) — 500 мл, томатная паста — 2 ст. ложки, сахар — 4 ч. ложки, петрушка — 2 пучка, лавровый лист, соль и черный молотый перец — по вкусу.

Помидоры вымыть, удалить плодоножки и нарезать мелкими дольками. Лук и чеснок вымыть, очистить. Лук нарезать мелкими кубиками, а чеснок истолочь. Петрушку вымыть, высушить и мелко порубить. В кастрюле разогреть немного воды, положить рис, лук, чеснок, лавровый лист и потушить 3 мин. Добавить бульон, помидоры и томатную пасту. Варить 15 мин. Приправить сахаром, солью и перцем. Достать лавровый лист, чтобы суп не горчил, разлить по тарелкам, посыпать петрушкой.

Тыква по-гречески
(На четыре порции)

Тыква — 400 г, чеснок — 1 зубчик, томатная паста — 1 ч. ложка, сушеный базилик — 1 ч. ложка, постное масло — 1 ст. ложка, вода — 2 ст. ложки, черный молотый перец, соль — по вкусу.

Выбрать крупноплодную тыкву, она больше подходит для запекания или овощного рагу. Очистить тыкву от кожуры и нарезать крупными кубиками. В сковороду влить постное масло, жарить тыкву 5—7 мин. до румяности. Добавить соль, перец, сушеный базилик, томатную пасту и чеснок, пропущенный через пресс. Перемешать. Выложить тыкву в форму для запекания. Влить в форму воду, накрыть фольгой и запекать в разогретой до 180 °С духовке 25—30 мин. Подать со свежим хлебом.

ઠ УЖИН ભ

Салат из картофеля с брокколи под маринадом

(На четыре-пять порций)

Картофель — 600 г, брокколи — 750 г, лук репчатый — 2 шт., соль, черный молотый перец — по вкусу, зелень — по желанию.

Картофель вымыть и варить в мундире в подсоленной воде 20–25 мин., затем снять кожуру. Брокколи помыть, очистить, разделить на соцветия, стебли нарезать кружочками. Соцветия и стебли варить в подсоленной воде 5 мин., обдать холодной водой и дать ей стечь. Репчатый лук очистить, помыть, нарезать небольшими дольками. Картофель нарезать ломтиками, добавить соус, брокколи и репчатый лук. Перед подачей блюдо хорошо перемешать, еще раз приправить солью и перцем, украсить зеленью.

Соус

Белый винный уксус — 4 ст. ложки, сахар — щепотка, сладкая горчица — 1 ч. ложка, соевое масло — 6 ст. ложек, соль, черный молотый перец — по вкусу.

В отдельной емкости смешать уксус, соль, перец, сахар, горчицу, соевое масло.

СВЕТЛОЕ ХРИСТОВО ВОСКРЕСЕНИЕ

Кулич «Царский»

(На шесть шт.)

Прессованные живые дрожжи — 50 г, просеянная мука — 1,2 кг, молоко — ½ л, сливочное масло комнатной температуры — 700 г, желтки — 6 шт. (белки оставить на глазурь), яйца — 3 шт., сахар — 350 г, соль — 1 ч. ложка, коньяк — 1 ст. ложка, ванильный экстракт — 2–3 ч. ложки, соль — 1 ч. ложка, растертый в порошок шафран — ¾ ч. ложки, куркума — ¾ ч. ложки, растертый в порошок мускатный орех — ¾ ч. ложки, растертый в порошок кардамон — 15–20 зерен, изюм — 250 г (заранее замоченный в смеси свежевыжатого апельсинового сока и коньяка или водки в соотношении 3:1 и откинутый на дуршлаг; часть изюма хорошо заменить сухими ягодами: клюквой и вишней), цукаты — 300 г, орехи — по вкусу.

Для выпекания удобнее всего использовать небольшие одноразовые бумажные формы на вес 500 г.

Для приготовления опары растворить дрожжи в полутора стаканах теплого (важно!) молока. Вмешать 2 ч. ложки сахара. Постепенно добавить 1 стакан муки и вымесить до гладкости. Должна получиться консистенция жидкой сметаны. Оставить опару подниматься. Как только дойдет до максимальной точки и уже начнет опадать, она готова (понадобится около 1 ч.).

Растереть желтки и яйца с 200 г сахара. Постепенно добавить ½ кг муки и хорошо вымесить. Соединить тесто с опарой, вымесить еще раз. Закрыть полотенцем и оставить в теплом месте подниматься, объем должен увеличиться в два раза. Взять мягкое сливочное масло, добавить оставшийся сахар и растереть добела. Постепенно влить теплое молоко, добавить соль, все пряности, коньяк и еще ½ кг муки.

Все очень хорошо вымесить. А потом соединить с поднявшимся тестом и снова вымешивать до тех пор, пока не получится гладкая консистенция очень густой сметаны. Закрыть тесто полотенцем и дать вдвое подняться. Так тесто должно «ходить» около 4 ч. от начала.

Порциями добавить изюм, цукаты, миндаль попеременно с оставшейся мукой и снова вымесить (можно миксером с насадкой «крюк», а в конце — руками). Тесто должно быть не слишком плотным, легко отлипать от стенок посуды и от рук, тогда кулич получится тяжелым и одновременно воздушным, пружинистым, долго не черствеющим.

Закрыть все полотенцем, поставить в теплое место и снова дать подняться вдвое. Разложить по формам, заполнить их меньше чем наполовину. Поставить в теплое место и дать подняться на две третьих объема формы. Нагреть духовку до 180 °С, поставить в нее куличи и немного снизить температуру. Выпекать примерно 35 мин. Если куличи начнут коричневеть, еще немного снизить температуру, а спустя полчаса с начала выпечки приоткрыть дверцу духовки и накрыть верх куличей фольгой.

Когда готовые куличи остынут, обмазать их глазурью, посыпать кондитерским конфетти, кокосовой стружкой, толчеными орехами, цукатами и цветным сахаром.

Глазурь

Белки — 6 шт., сахар — 500 г, сок двух лимонов, кокосовая стружка, толченый миндаль, цветной сахар — по вкусу.

Положить белки в миску и взбивать с небольшим количеством сахара до тех пор, пока смесь не станет воздушной и гладкой. Понемногу добавить оставшийся сахар, взбивая после каждого добавления. Продолжать взбивать, пока вся смесь не станет очень плотной и белой. Добавить процеженный лимонный сок и взбить еще раз.

Пасха

Творог жирный, лучше фермерский — 500 г, масло сливочное — 60 г, сахарная пудра — 60 г, ванильный сахар — 10 г, сливки (33%-ой жирности) — 250 мл, шоколад черный (70%-ный) — 200 г, какао — по вкусу, коньяк — 2 ст. ложки — по желанию.

Шоколад разломать на кусочки, сложить в небольшой ковшик и залить половиной сливок. Растопить шоколад на водяной бане, время от времени помешивая. Растопленную шоколадную массу снять с плиты и дать остыть. Творог для пасхи должен быть сухой. Если в нем много сыворотки, то перед приготовлением сложить его в двойную марлю, завязать узелком и повесить над миской, куда будет стекать жидкость. Творог протереть 5 раз через мелкое металлическое сито с помощью ложки. Смешать протертый творог с сахарной пудрой и ванильным сахаром с помощью ложки или взбить миксером. Добавить размягченное сливочное масло, и, продолжая размешивать творожную массу, по частям добавить растопленный шоколад. Можно добавить немного какао и коньяка. В отдельной миске взбить до устойчивой пены жирные сливки. Добавить взбитые сливки к остальным продуктам. Творожная масса для шоколадной творожной пасхи готова. Пасху забить ложкой со всех сторон, чтобы не было воздушных дырок.

Форму для пасхи тонко застелить марлей и заполнить творожно-шоколадной массой. Завернуть края марли кверху и придавить творожную массу небольшим грузом. Поставить в холодильник на ночь. Готовую творожную пасху перевернуть на тарелку, убрать форму и аккуратно снять марлю.

С праздником Святой Пасхи!

Содержание

Седмица 1-я Великого поста

ПОНЕДЕЛЬНИК

ВТОРНИК

Седмица 2-я Великого поста

Седмица 3-я Великого поста

ПОНЕДЕЛЬНИК

Седмица 4-я Великого поста

ПОНЕДЕЛЬНИК

ВТОРНИК

СРЕДА

ЧЕТВЕРГ

Завтрак

Обед

Ужин

ПЯТНИЦА

Завтрак

Обед

Ужин

СУББОТА

Завтрак

Обед

Ужин

СРЕДА

ЧЕТВЕРГ

ПЯТНИЦА

СУББОТА

Духовно-просветительская православная литература

Клименко Татьяна

Меню на каждый день Великого поста

Главный редактор *епископ Балашихинский Николай*. Заведующая редакцией *Т. Тарасова*. Редакторы *Д. Боганова, И. Черкесова*. Художественный редактор *А. Асеев*. Технический редактор *З. Кондрашова*. Корректор *Г. Абудеева*. Дизайн, верстка *М. Алимпиев*. Подписано в печать 04.10.2019. Формат 60×84/16. Объем 13,0 печ. л. Печать офсетная. Тираж 3000 экз. Заказ № 1914960. Издательство Московской Патриархии Русской Православной Церкви. 119435, Москва, ул. Погодинская, 18. *Оптовый отдел реализации: (499) 246-20-85, 246-52-08. Магазин на ул. Погодинской: (499) 245-30-68. Магазин на ул. Бакунинской: (499) 246-25-35.* e-mail: books@rop.ru. http://www.rop.ru

Отпечатано в полном соответствии с качеством предоставленного электронного оригинал-макета в ООО «Ярославский полиграфический комбинат» 150049, Россия, Ярославль, ул. Свободы, 97